知的障害・発達障害

のある子が大人

きたい

20歳前傷病の障害年金

しくみと請求のしかた

社会保険労務士・精神保健福祉士
小西 一航 著

日本法令

はじめに

ほとんどの親御さんは、「障害年金は手続きが面倒でわかりづらい」というイメージをお持ちです。親同士の集まりでは、「診断書を書いてもらう病院が見つかるまで何軒も断られた」「成育歴を書くのが大変だった」といった苦労話を耳にしたことがあるかも知れません。

たしかに、障害年金の手続きは、役所に何度も足を運んだり、書類を用意したり、さまざまな準備が必要です。

しかし、お子さんの日常生活状況や就労状況に合わせて、知っておくべきこと、やっておくべきことをあらかじめ整理・理解しておくと、気持ちに余裕をもって手続きを進めることができます。

この本は、障害年金専門の社会保険労務士として約3,000件の請求代理をした経験をふまえ、20歳で障害年金請求を予定している知的障害、発達障害のある子をもつご家族に向けて執筆しました。また、医療・福祉関係の方々や障害年金業務に携わる社会保険労務士にも、支援のご参考になれば幸いです。

はじめに基本的な障害年金制度（第1章）を解説しています。続いて、知的・発達障害の認定基準（第2章）、就労・就学している場合の対策（第3章）、年金請求のしかた（第4章）、不服申立について（第5章）、年金受給後に知っておきたいこと（第6章）という順にまとめました。

忙しくて順番に読む時間がなく「手っ取り早く手続方法だけ知りたい」という方は、第4章から読み始め、必要に応じて他の章を確認していただければと思います。

少しでも多くの方がこの本を活用して、手続きをスムーズに終え、障害年金の受給につながれば、筆者にとしてこれほど嬉しいことはありません。

令和6年6月

社会保険労務士・精神保健福祉士　小西一航

目 次

第３章　就労・就学は審査に影響するの？

第4章　年金請求のしかた

◎準備はいつから開始すべき？

「20歳前傷病による障害年金」の障害認定日（障害の状態を定める日）は、一部（発達障害かつ初診日が18歳6か月より後）を除き20歳到達日（20歳誕生日の前日）になります。この場合、20歳到達日前後3か月以内の症状を記載した診断書を医師に作成してもらうことになります。20歳到達日を基準として、障害年金請求の準備を開始する時期は、かかりつけ医がいる場合といない場合では異なります。

①　かかりつけ医がいる場合

かかりつけ医（精神科、小児科等）がいて、医師が障害年金の診断書作成に同意している場合は、20歳到達日の前おおむね6か月～3か月あれば余裕を持って準備が可能です。

②　かかりつけ医がいない場合

かかりつけ医がいない場合、障害年金の診断書を作成してもらう医師を探すことから始めなくてはなりません（☞ **111ページ** 診断書を作成してもらう医師の探し方）。また、医師が決まっても予診や心理検査を必要とする場合が多く、20歳到達日の1年～6か月前には準備を開始したほうが安心です。

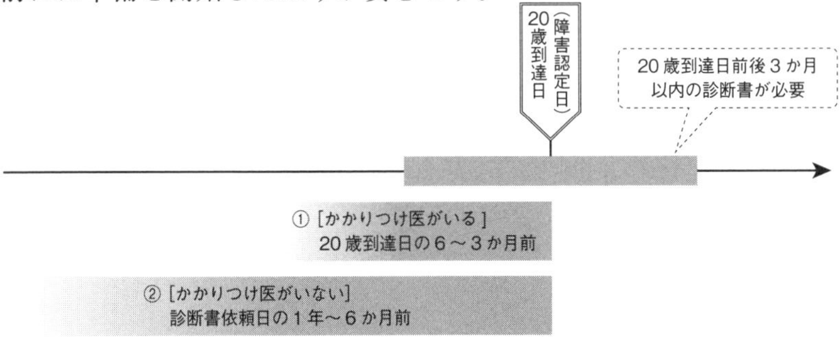

◎20歳での請求：支給決定までの流れとスケジュール

（19歳）
1年前

6か月前

ステップ1　制度の理解と情報収集

☛第1章　「20歳前傷病による障害年金」とは
～知っておきたい基礎知識～
☛第2章　障害認定基準と等級判定ガイドラインを知ろう

ステップ2　必要書類の取得と情報の整理

☛104ページ　成育歴の書き出しから始める
☛109ページ　心理検査結果を整理する
☛113ページ　役所の窓口で必要書類を受け取る

ステップ3　診断書依頼の準備

☛121ページ　日常生活状況をまとめよう
☛132ページ　病歴・就労状況等申立書を書いてみよう

＜就労・就学中に請求する場合＞
☛89ページ　就労が不利に扱われないための対策
☛95ページ　就学・教育歴は審査に影響するか

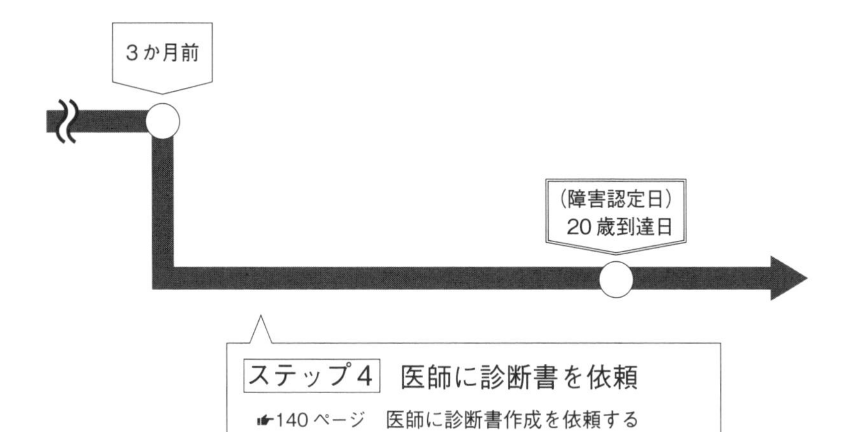

ステップ4 医師に診断書を依頼

☛140ページ 医師に診断書作成を依頼する

ステップ5 診断書の受領後

☛142ページ 完成した診断書を受け取ったら
☛147ページ 気になる箇所はそのままにしない

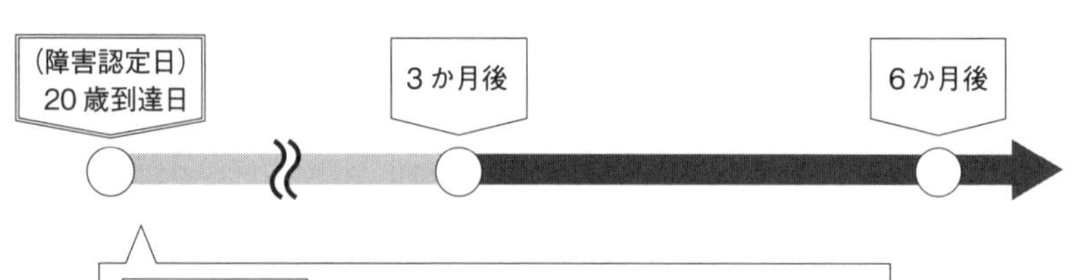

ステップ6 請求書類の記入と提出

☛149ページ 年金請求書を記入する
☛155ページ 年金生活者支援給付金も申請しよう
☛158ページ 請求書類を整えて提出する

ステップ7 支給決定

☛162ページ 支給決定までの期間
☛166ページ 年金決定通知書・年金証書の見方
☛168ページ 年金はいつから支給される？

第1章

「20歳前傷病の障害年金」とは
～知っておきたい基礎知識～

1　障害年金制度のしくみ

①　３つの公的年金

公的年金と聞くと、老後に受け取れる「老齢年金」を思い浮べる人が多いでしょう。しかし、国の年金制度には、思わぬ事故や病気で障害が残ってしまったときの「障害年金」や一家の働き手が亡くなったときの「遺族年金」もあります。国民が安心して生活するために、人生における３つのリスクに対応した、国が運営する保険制度が公的年金です。

<老後の保障>
65歳から一生涯　⇒**老齢年金**

<現役世代を含めた保障>
病気やケガにより、障害が残ったとき　⇒**障害年金**
一家の働き手が亡くなったとき　⇒**遺族年金**

②　障害基礎年金と障害厚生年金

日本に居住している20歳以上60歳未満の方は、国民年金の被保険者（加入者）となります。会社員や公務員など、お勤めをされている方はさらに厚生年金に加入します。

国民年金の第１号・第３号被保険者期間または60歳以上65歳未満で年金制度に加入していない期間に初診日がある方は**障害基礎年金**を、厚生年金の被保険者期間に初診日がある方は**障害厚生年金**

（障害手当金）を請求することができます。

20歳前でお勤めをしていない方は、国民年金、厚生年金どちらの年金にも加入していません。この20歳前の未加入期間に初診日がある方が請求できるのが「**20歳前傷病の障害年金**」です（**図表1−1**）。

■図表1−1　20歳前傷病の障害年金

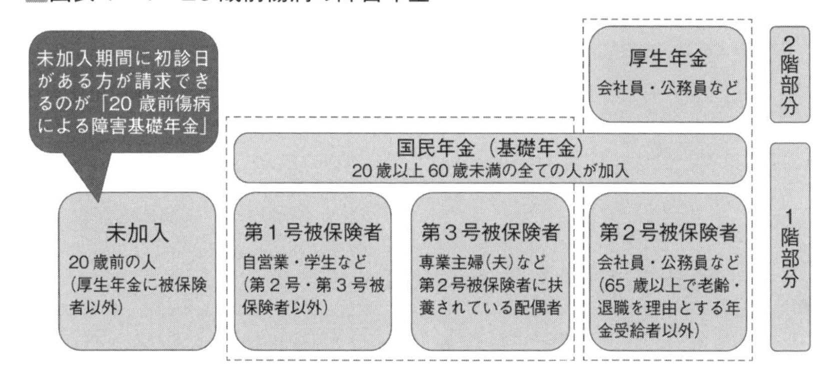

③　ほとんどの傷病が対象

障害年金は、知的障害、発達障害を含め、ほとんどの傷病が対象となります。障害年金は基本的に傷病名ではなく、病気や障害による日常生活や仕事への支障の度合いで判定されます。ただし、精神病水準にないパニック障害、不安障害、強迫性障害、適応障害などのいわゆる神経症やパーソナリティ障害（人格障害）は対象外になります（☞ **44ページ コラム①**）。20歳前から知的障害、発達障害と診断されている人が、その後に神経症やパーソナリティ障害と診断されたとしても請求や更新（再認定）には影響がありません。

なお、令和4年度に決定された障害年金の診断書種類別割合を見ると、精神障害・知的障害は全体の66.1％を占め、最も多くなっています（**図表1−2**）。

■図表１−２　診断書の種類別割合

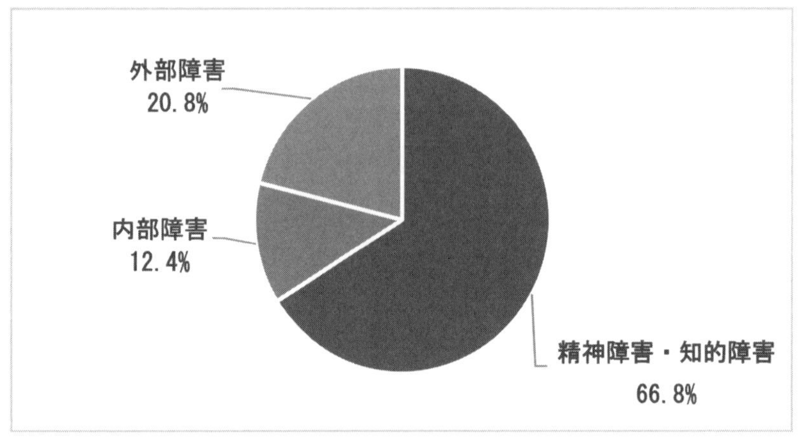

（出典：日本年金機構、障害年金業務統計（令和４年度決定分））

④　請求しないともらえない

公的年金を受ける際、本人が年金の支払を受ける資格（受給資格）があることを申し立てる行為を**請求**といいます。年金を受ける権利には時効があり、５年で消滅します。受給資格があるものの、障害年金の存在を知らずに請求していない方は少なくありません。一定の年齢になると自動的に通知書が届く老齢年金に比べて、もらい忘れていることが多いのが障害年金の特徴です。

⑤　書類審査で決まる

障害年金の認定審査は、訪問や面談などによる調査はなく、提出された書類だけで支給の要否が決まります。

同じ障害状態の人が２人いたとして、提出書類の内容により、ひとりは支給決定、もうひとりは不支給ということがあり得ます。

そのため、日常生活への支障や援助の状況などがしっかりと伝わる書類をそろえることが重要です。

⑥　３つの必須要件とは

（ア）　初診日が明確にわかっているか（初診日要件）

障害年金を受給できるかどうかの審査で、まず大切になるのは、**初診日**がはっきりしているかということです。

初診日を基準にして納付要件の確認、請求する制度（基礎年金・厚生年金）などが決められます。初診日において、国民年金に加入していた方は「障害基礎年金」、会社員や公務員で社会保険に加入していた方は「障害厚生年金」、20歳未満で社会保険に加入していなかった方は「20歳前傷病の障害年金」を請求します。

初診日とは、その傷病（病気やケガ）ではじめて医師または歯科医師の診療を受けた日で、治療行為や療養に関する指示があった日です。

精神障害では、病名を問わず、メンタル不調ではじめてかかった医療機関が初診となります。現在の傷病名と異なったり、診断名がつかなかったりする場合も含まれます。

初診は精神科や心療内科でかかることが多いですが、その手前で他科（内科や小児科など）にかかっていた場合は、他科にかかった日が初診日と認められることもあります。

（イ）　初診日前に年金保険料を一定期間支払っているか（保険料納付要件）

障害年金は簡単にいうと、日本在住者の現役世代全員が加入する保険です。そのため、初診日の前日時点で、国民年金などの公的年金の保険料を支払っているかどうかが審査されます。

例えば、自動車をガレージの壁に擦ってしまった後に慌てて自動車保険に入っても、その修理について保険が下りないのと同じ考え方です。

保険料を支払っていると認められるには、以下の❶または❷の条件を満たす必要があります。

❶ 年金保険料を３分の２以上納めていること

障害年金を受給するには、初診日の前日において、初診日を含む月の前々月までの被保険者期間のうち年金保険料を３分の２以上納付していると、納付要件を満たすことができます（**図表１－３**）。

年金保険料の全額免除・納付猶予をされていた期間もこれに含まれます。

■図表１－３ ３分の２以上の納付

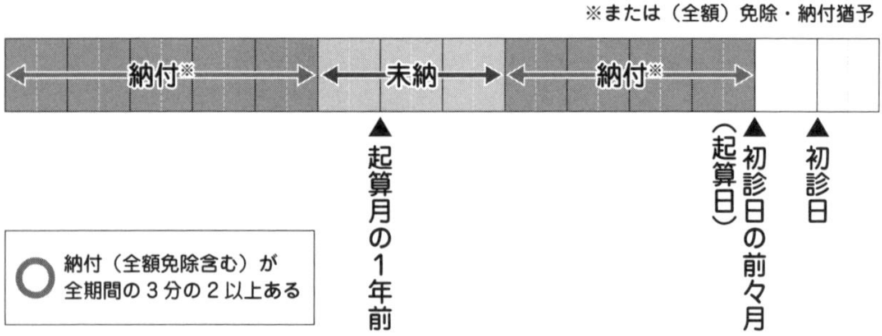

※または（全額）免除・納付猶予

←納付※→ ←未納→ ←納付※→

▲起算月の１年前
▲初診日の前々月（起算日）
▲初診日

○ 納付（全額免除含む）が全期間の３分の２以上ある

❷ 初診日を含む月の前々月までの直近１年間に年金保険料の未納がないこと

３分の２以上納付の条件を満たしていない場合は、特例があります。

初診日の前日において、初診日を含む月の前々月までの直近１年間の被保険者期間に年金保険料の未納がないという条件が整っていれば、障害年金の支給要件を満たすことができます（**図表１－４**）。

この特例は初診日が令和８年４月１日前で、かつ初診日の年齢が65歳未満の場合に限られます。

■図表1－4　直近1年間に保険料の未納がない

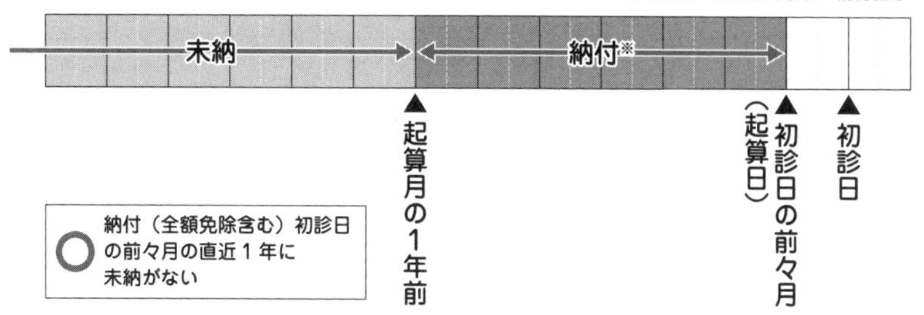

なお、20歳前の年金制度に加入していない期間に初診日がある場合は、納付要件は問われずに「20歳前傷病の障害年金」を請求できます。

（ウ）　障害の状態にあるか（障害状態要件）

障害年金は、請求時に障害の状態にあると判断されなければ、支

■図表1－5　等級と障害の程度

年金制度	等級	障害の程度
国民年金 厚生年金	1級	他人の介助を受けなければ日常生活のことがほとんどできないほどの障害の状態です。例えば、身の回りのことはかろうじてできるものの、それ以上の活動はできない方（または行うことを制限されている方）です。
	2級	必ずしも他人の助けを借りる必要はなくても、日常生活は極めて困難で、労働によって収入を得ることができないほどの障害です。例えば、家庭内で軽食を作るなどの軽い活動はできても、それ以上重い活動はできない方（または行うことを制限されている方）です。
厚生年金のみ	3級	労働が著しい制限を受ける、または、労働に著しい制限を加えることを必要とするような状態です。日常生活にはほとんど支障はないが、労働については制限がある方です。

給の対象になりません。障害の状態と認められるには、定められた障害の程度に該当している必要があります（**図表 1－5**）。

なお、障害年金の等級は、精神障害者保健福祉手帳や身体障害者手帳の等級とは異なるものです。

認定の程度にあてはまるかどうかは、主に医師が記載した診断書によって判断がなされますが、請求者本人が申し立てる病歴や就労歴なども併せて審査されます。

また、医師と本人の申立てに相違があるとみなされた場合は、カルテの写しの提出を求められたり、医師に意見を求められたりすることもあります。

⑦ 障害年金の請求時期とパターン

障害年金の請求方法は主に、認定日請求（本来請求）、遡及請求、事後重症請求の３パターンがあります。どれを選択するかは、請求時期や障害認定日の障害の程度によります。

障害認定日とは障害の程度を定める日のことです。障害年金が請求できるのは、障害認定日以降になります。

障害認定日は、原則として次のいずれかです。

❶ （原則）初診日から１年６か月経過した日

❷ （例外）❶の日までの傷病が治った（障害、症状が固定した）日

❸ （20 歳前傷病による障害年金）20 歳到達日（誕生日の前日）

※ 20 歳到達日以降に❶または❷がある場合は、❶または❷の日が障害認定日になります。

（ア） 認定日請求（本来請求）

認定日請求とは、障害認定日を起点として１年以内に行う請求のことで、「本来請求」ともいいます。提出する診断書は１枚で、認

定日以後3か月以内の症状を記載した診断書を提出します。

20歳前に初診日がある場合は、認定日前後3か月以内の症状を記載した診断書を提出することになっています。

認定日請求が認められると、障害年金の受給権は、障害認定日の属する月に発生し、年金はその翌月分から支給されます（**図表1－6**）。

■図表1－6　認定日請求（本来請求）

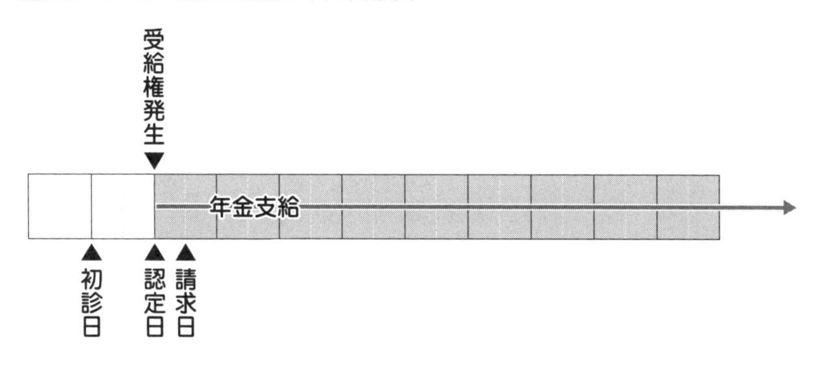

（イ）　遡及請求

遡及請求とは、認定日から1年を過ぎてからの請求のことです。提出する診断書は2枚で、1枚は認定日請求と同じく認定日以後3か月以内[※]の症状を記載した診断書を提出します（※20歳前に初診日がある場合は、認定日前後3か月以内となります）。

もう1枚は提出日（請求日）の前3か月以内の診断書を提出します。

遡及請求が認められると、障害年金の受給権は、障害認定日の属する月に遡って発生します。ただし、年金受給の時効は5年なので、受け取れる年金は直近5年分までです（**図表1－7**）。

■図表１－７ 遡及請求（時効あり）

（ウ） 事後重症請求

障害認定日には障害等級に該当しなかったものの、その後から症状が重くなり、現在は障害等級に該当する状態になることがあります。

また、障害認定日に障害等級に該当していなかったという理由以外にも、事後重症請求を行うことがあります。例えば、障害認定日に障害年金の存在を知らなかった、一時的に回復するなどして医療機関を受診していなかった、カルテが廃棄されており、診断書を記載してもらうことができなかったときなどです。

事後重症請求で提出する診断書は、提出日（請求日）の前３か月以内の診断書のみです。

事後重症請求が認められると、障害年金の受給権は、請求日の属する月に発生し、年金はその翌月分から支給されます（**図表１－８**）。

■図表1−8 事後重症請求

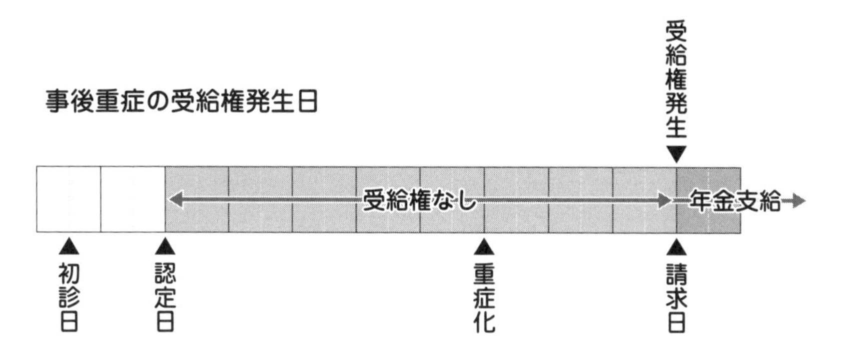

2　障害年金の受給額

①　年金支給のしくみ

障害年金は文字通り年額で決められます。年金額は勤労者の賃金や物価に連動して毎年４月に改定されます。

実際の支給は、2か月ごと（原則、偶数月の15日）に、受給者が指定する金融機関の口座へ、その前月までの2か月分の年金が振り込まれます。ただし、障害年金の決定後、最初の支給日は奇数月の15日になることがあります。

なお、15日が土曜日、日曜日または祝日のときは、その直前の平日となります。

②　障害年金は２階建て

公的年金は2階建ての制度で、1階部分が基礎年金（国民年金）、2階部分が厚生年金となっています。

障害年金も同じように障害基礎年金と障害厚生年金に分かれています。

年金の1階部分にあたる障害基礎年金は、等級の重い順に1級と2級、2階部分の障害厚生年金は1級から3級まであります。障害厚生年金の1級または2級は、障害基礎年金も併せた2階建てで支給されます（**図表1−9**）。

■図表１−９　障害年金の構造

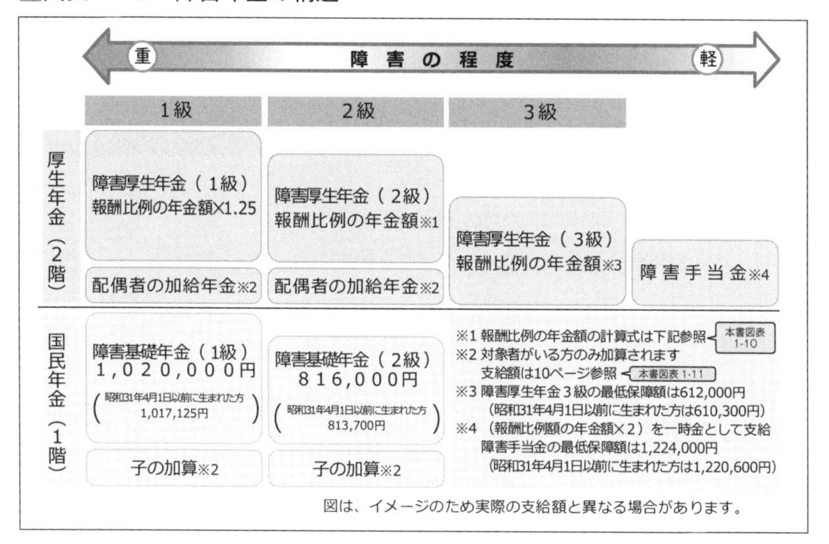

（出典：日本年金機構、障害年金ガイド（令和６年度版））

③　障害基礎年金・障害厚生年金の等級と年金額(令和6年度)

障害基礎年金は、加入していた年数に関係なく定額が支給されます。20歳前の年金制度に加入していない期間に初診日がある場合も同じです。

年金額（令和６年度）

１級：1,020,000 円（年額）
２級：　816,000 円（年額）

２級の障害基礎年金の額は、20歳から60歳までの40年間にわたって国民年金保険料を納め続けた場合に受け取れる満額の老齢基礎年金と同じで、１級は２級の1.25倍です。

障害厚生年金の額は、報酬比例（加入期間や過去の報酬等に応じて決定）であり、１級から３級に該当した場合、下記（**図表１−**

10）の計算式を用いて支給されます。

■図表１－10 障害厚生年金の計算式

障害年金額（報酬比例）・障害手当金額の計算式

報酬比例の年金額＝A＋B

A：平成15年3月以前の加入期間の金額

平均標準報酬月額※1 × $\frac{7.125}{1000}$ × 平成15年3月までの加入期間の月数※3

B：平成15年4月以降の加入期間の金額

平均標準報酬額※2 × $\frac{5.481}{1000}$ × 平成15年4月以降の加入期間の月数※3

※1 平均標準報酬月額・・・・平成15年3月以前の標準報酬月額の総額を、平成15年3月以前の加入期間で割って得た額です。

※2 平均標準報酬額・・・・・平成15年4月以降の標準報酬月額と、標準賞与額の総額を平成15年4月以降の加入期間で割って得た額です。

※3 加入期間の月数・・・・・加入期間の合計が、300月(25年)未満の場合は、300月とみなして計算します。また、障害認定日がある月後の加入期間は、年金額計算の基礎となりません。

（出典：日本年金機構、障害年金ガイド（令和６年度版））

<加給年金額と子の加算額>

１級・２級の障害基礎年金または障害厚生年金を受け取ることができる方に、生計を維持している次の対象者がいる場合に受け取ることができます（**図表１－11**）。

■図表1－11　加給と加算額

対象者	名称	金額	加算される年金	年齢制限
配偶者	加給年金額	234,800円	障害厚生年金	65歳未満であること（大正15年4月1日以前に生まれた配偶者には年齢制限はありません）
子2人まで	加算額	1人につき　234,800円	障害基礎年金	・18歳になった後の最初の3月31日までの子 ・20歳未満で障害等級1級・2級の障害の状態にある子
子3人目から		1人につき　78,300円		

＊配偶者が、老齢厚生年金、退職共済年金（加入期間20年以上または中高齢の資格期間の短縮特例に限る）の受給権を有するときや、障害年金を受け取る間は、加給年金額は支給停止されます。

＊児童扶養手当の受給者の方やその配偶者が、公的年金制度から年金を受けるようになったり、年金額が改定された場合は、市区町村から支給されている児童扶養手当が支給停止または一部支給停止される可能性があります。
詳しくは、お住まいの市区町村の児童扶養手当担当窓口にお問い合わせください。

（出典：日本年金機構、障害年金ガイド（令和６年度版））

④　障害年金生活者支援給付金

年金生活者支援給付金は、消費税率引上げ分を活用し、公的年金等の収入金額やその他の所得が一定基準額以下の方に、生活の支援を図ることを目的として、年金に上乗せして支給されるものです。

給付額（令和６年度）

１級：6,638円（月額）

２級：5,310円（月額）

詳しくは、**第４章12　年金生活者支援給付金も請求しよう**（☞155ページ）を参照してください。

3 「20歳前傷病の障害年金」とは

① 「20歳前傷病の障害年金」の対象者

20歳になると、厚生年金に加入している方を除き、国民年金の被保険者となります。被保険者は年金保険料を納付するか、事情により納付が難しい方は免除・納付猶予制度などの手続きをします。

被保険者期間または60歳以上65歳未満の間に初診日がある傷病をお持ちの方が、一定の要件を満たした場合は障害基礎年金を請求することができます。

一方、「20歳前傷病の障害年金」の対象は、国民年金の被保険者になる20歳よりも前に初診日があり、1級または2級の障害状態に該当する方です。

② 「20歳前傷病の障害年金」は例外が多い

「20歳前傷病の障害年金」の対象者も1級または2級の障害状態に該当すれば障害基礎年金を請求できますが、20歳以後の障害年金に比べて要件・審査や給付に例外が多いのが特徴です。

～要件・審査の例外～

（ア） 初診日特定の要件は厳しくない

「障害年金は初診日が重要」とよくいわれます。それは、どちらの制度（国民・厚生）になるか、一定期間以上の年金保険料を納付しているかなど、受給資格を確認する際の基準日となるのが初診日であるからです。

20歳以後の障害年金では、制度がまたがっていたり、年金保険料の納付状況が良好でなかったりする場合は、基本的に年月日まで特定しなければなりません。

「20歳前傷病の障害年金」は、15歳頃や平成22年頃といった、おおよその時期がわかれば年月日まで特定する必要はありません。

（イ） 保険料納付の要件は問われない

国民年金未加入の20歳前に初診日があるので、年金保険料の納付要件は問われません。また、20歳を過ぎてしばらく経過してから請求する場合も、年金保険料の納付状況は審査に影響しません（**図表1－12**）。

■図表1－12

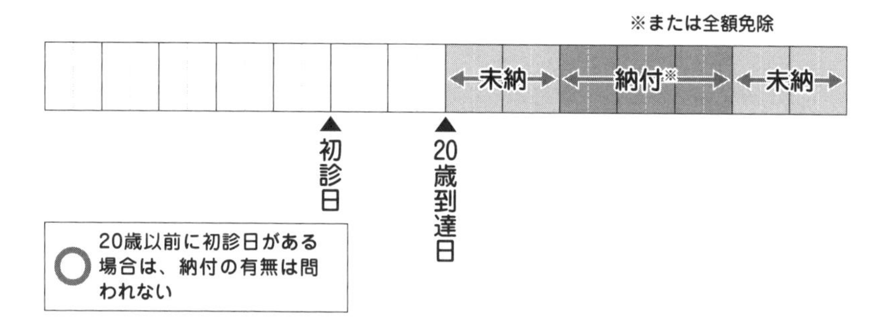

（ウ） 障害認定日は2パターン

障害認定日とは、文字通り、障害状態を認定する日のことです。

障害年金を受給する必須要件の一つ「障害の状態にあるかどうか（障害状態要件）」は、障害認定日の障害状態で審査されます。

20歳以後に初診日がある方の障害認定日は、原則として「初診日から1年6か月を過ぎた日」です。

「20歳前傷病の障害年金」の障害認定日は、次の❶と❷のどちらか遅い日となります（**図表１－13**）。

❶ 20歳到達日（誕生日前日）
❷ 初診日から１年６か月経過した日

■図表１－13 障害認定日のパターン

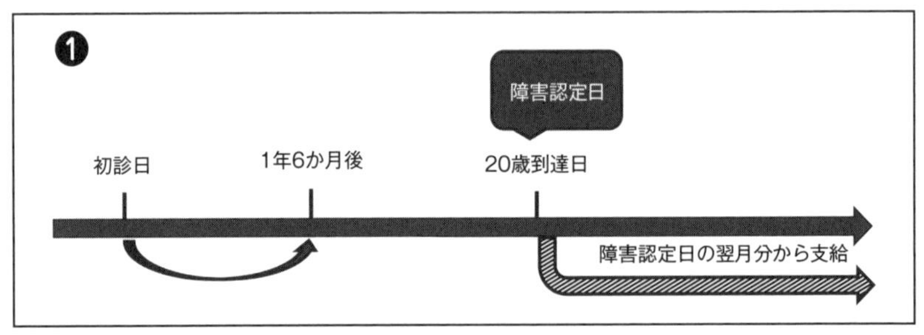

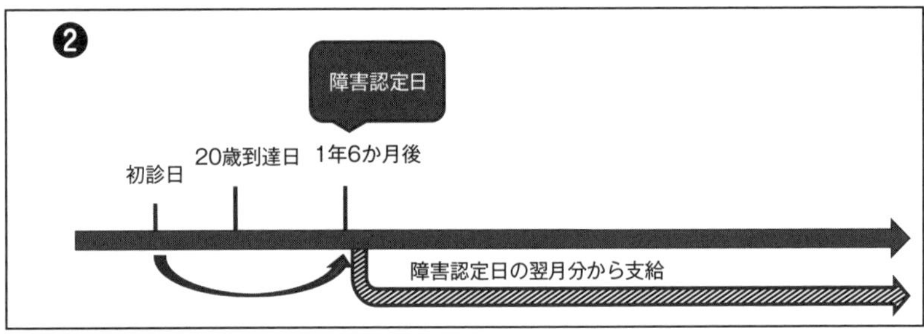

※ 知的障害の場合は、出生日を初診日と取り扱うため、❶になります。

（エ） 障害認定日の前後３か月の診断書で審査される

20歳以後に初診日がある方は、障害認定日以後３か月以内の現症の診断書が必要です。

「20歳前傷病の障害年金」は、障害認定日前後３か月以内の現症の診断書で審査されます。

※ 障害認定日から１年以上経過してから請求する場合は、障害認定日の診断書に加えて請求日以前３か月以内の診断書の提出も必要です。

～給付の例外～

（オ） 所得額に応じて支給制限がある

「20歳前傷病の障害年金」は、保険料を納めずに受け取れる年金、いわゆる無拠出制の年金であるため、一定の所得制限が設けられています。前年の所得額が4,721,000円を超える場合は年金の全額が支給停止となり、3,704,000円を超える場合は2分の1の年金額が支給停止となります。扶養親族がいる場合、扶養親族1人につき所得制限額の加算（38万円～63万円）があります。

370.4万円以下	370.4万円超～472.1万円以下	472.1万円超
全額支給	2分の1支給停止	全額支給停止
	2分の1支給	

毎年、受給者本人の前年所得が確認され、前年所得に基づく支給対象期間は、「10月分から翌年9月分まで」とされています。この場合の所得とは、収入とは異なります。非課税所得以外の所得（主に社会保険料、医療費などを差し引いた金額です。基礎控除、本人の障害者控除は差し引かれません）が所得基準額の対象となります。

なお、非課税所得とは、所得税が課税されない所得をいいます。例えば、親が亡くなり遺産を相続した場合は、相続税の対象になりますが所得税はかかりません。ですから、親の遺産は非課税所得ということです（税金が二重に課されないようなしくみになっています）。

また、親の生命保険で子が死亡保険金を受け取る際も、特殊な例を除き、保険金は相続税の対象ですが所得税はかかりません。相続や生命保険は、ほとんどのケースで非課税所得となりますので、支給停止の心配はいりません。

（カ） その他の支給制限

同じ原因で生じた障害により「20 歳前傷病の障害年金」と労災保険の年金等の両方を受給する場合は、「20 歳前傷病の障害年金」のほうの受給額が調整（減額）されます。また、海外に居住したときや刑務所等の矯正施設に入所した場合は、年金の全額が支給停止されます。

4　障害年金はいつまで受け取れる？

障害年金は、失権または支給停止にならない限り、受け取り続けることができます。ここでは失権と支給停止について説明します。

①　失　権

失権とは、文字通り年金を受け取る権利（受給権）を失うことです。次の❶～❸のいずれかに該当した場合は失権となります。❷と❸はわかりにくいですが、「少なくとも65歳までは失権しない」と理解しておきましょう。

❶　死亡したとき。

❷　3級以上の障害等級に該当する程度の障害の状態にない者が65歳に達したとき。ただし、65歳に達した日において3級以上の障害等級に該当しなくなった日から起算してそのまま該当することなく3年を経過していないときを除く。

❸　3級以上の障害等級に該当する程度の障害の状態に該当しなくなった日から起算してそのまま該当することなく3年を経過したとき。ただし、3年を経過した日において、その受給権者が65歳未満であるときを除く。

②　支給停止

支給停止とは、受給権は保持しているものの、事情によって支給が止まっている状態です。給付の例外（☞33ページ 本章3「20歳前傷病の障害年金」とは）にあるもののほかに、次の❶と❷のいずれかに該当した場合は支給停止となります。

❶　更新（再認定）で２級不該当

障害年金の支給期間には、有期認定と無期認定があります。

無期認定は、今後も障害状態が変わらないと思われる障害、例えば四肢の切断などの身体障害が多く該当します。一方、有期認定とは、障害状態の変化が見込まれる障害に対して行われる認定です。知的・精神障害のほとんどは有期認定に該当します。

更新で２級程度の障害に状態にないと判断されると支給停止となります（☞ **207ページ 第６章３ 年金が支給停止になったり、等級が下がったりしたら**）。

❷　障害年金以外の年金受給を選択

例えば、障害年金と遺族年金など２つ以上の年金の受給権が生じ、遺族年金を選択した場合です。給付事由が異なる２つ以上の年金の受給権を取得したときは、いずれか１つの年金を選択して受給し、その他の年金は支給停止になります（１人１年金が原則）。

（例）

障害基礎年金

遺族厚生年金

遺族基礎年金

遺族厚生年金および遺族基礎年金を選択すると障害基礎年金は支給停止となります。ただし、65歳以後であれば、１階部分の障害基礎年金と２階部分の老齢厚生年金（または遺族厚生年金）は併せて受けることができます（☞ **216ページ 第６章６ 65歳になったら**）。

5　20歳になったら年金保険料は払うべき？

20歳になると、企業などに勤めている厚生年金の加入者以外は、全て国民年金の被保険者（加入者）となります。

障害基礎年金の支給が決定すると、障害認定日を含む月の前月から保険料の納付義務が免除されます。これを**法定免除**（☞ **200ページ 第6章1 国民年金保険料の法定免除制度を利用するには**）といいます。

「20歳前傷病の障害年金」の請求者の多くは、「20歳到達日（誕生日前日）」が障害認定日となります。つまり、国民年金の被保険者になると、同時に法定免除にも該当し、届出により年金保険料の支払いが免除されます。

しかし、請求前の時点では、確実に障害基礎年金が決定するかはわかりません。

ここでは、障害基礎年金の決定後に、法定免除を選択する場合と年金保険料納付を選択する場合、それぞれのパターン別に国民年金の加入手続について解説します。

20歳になってからおおむね2週間以内に以下の書類が届きます。

- 国民年金加入のお知らせ
- 国民年金保険料納付書
- 国民年金の加入と保険料のご案内（パンフレット）
- 保険料の免除・納付猶予制度と学生納付特例制度の申請書
- 返信用封筒

① 法定免除を選択する場合

障害基礎年金の審査期間は3か月前後かかります。法定免除の届出は障害基礎年金決定後になるからと、国民年金の加入手続を後回しにするのはリスクがあります。

例えば、知的障害を持つAさんが、20歳到達日に障害基礎年金の請求をし、3か月後に交通事故でケガを負ったとします。20歳到達日から4か月後に障害基礎年金（2級）が決定し、Aさんの年金受給権と法定免除は20歳到達日に遡ります。そうすると、交通事故が原因で新たな障害が残ってしまった場合でも、その障害は障害基礎年金の保険料納付要件を満たします。知的障害と新たに加わった身体の障害を併せて、上位の等級（1級）に変更する併合（☞ **213ページ 第6章4 障害状態が重くなったり、身体の障害が加わったりしたら**）ができる可能性があります。

しかし、障害基礎年金が不支給となってしまった場合はどうでしょう。法定免除は該当せず、加入手続を後回しにしていたため、交通事故時は保険料未納の状態なので保険料納付要件を満たさず、交通事故による障害では障害基礎年金を請求できなくなってしまいます。

こうしたことにならないよう、20歳になったら保険料の納付猶予制度・学生納付特例制度の利用をお勧めします。

（ア）納付猶予制度・学生納付特例制度とは

20歳以上50歳未満の方で、本人・配偶者の前年所得（1月から6月までに申請する場合は前々年所得）が一定額以下の場合には、申請書を提出し、承認されると保険料の納付が猶予されます。これを納付猶予制度といいます。

類似の制度に保険料免除制度がありますが、こちらは本人・世帯主・配偶者の前年所得または前々年所得が一定額以下であったり失業したことなどにより、保険料の納付が経済的に困難な場合が対象です。世帯主（一般的には家族）に一定程度の所得がある場合は利用できません。

このように、納付猶予制度は本人・配偶者の所得のみで判断されるのため利用しやすくなっています。

なお、学校教育法に定める高等学校・高等専門学校・短期大学・大学・大学院・専修学校・各種学校などの学生や生徒である場合は、学生納付特例制度を利用できます。

■図表 1－14　納付猶予と学生納付特例

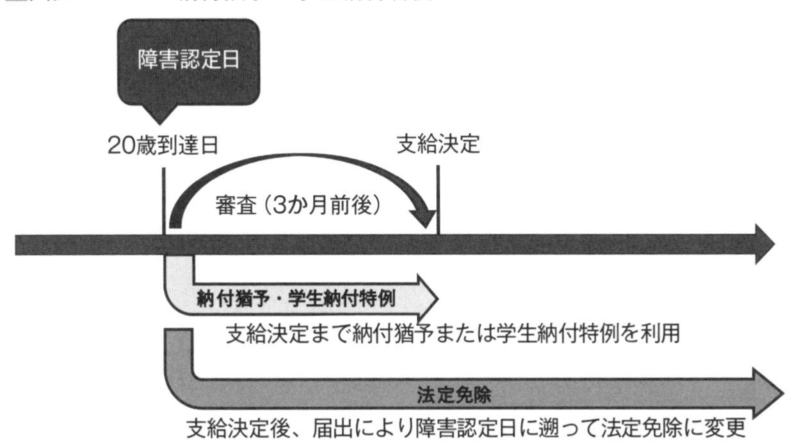

前出のＡさんが納付猶予または学生納付特例の申請をしていれば、たとえ「20 歳前傷病の障害年金」が不支給になっても、交通事故による障害での障害基礎年金請求は可能です。

「20 歳前傷病の障害年金」が決定した後、法定免除の届出をすれば、納付猶予期間は遡って法定免除期間に変更されます。

納付猶予、学生納付特例はどちらも将来の老齢基礎年金の年金額に反映されませんが、「20 歳前傷病の障害年金」が決定するまでの「つなぎ制度」として利用できます。

（イ）納付猶予・学生納付特例の申請方法

「免除・納付猶予申請書」または「学生納付特例申請書」に記入

して、基礎年金番号通知書のコピーおよび学生証のコピー（学生納付特例のみ）と一緒に返信用封筒で日本年金機構へ送付します。

図表1−15 国民年金保険料免除・納付猶予申請書

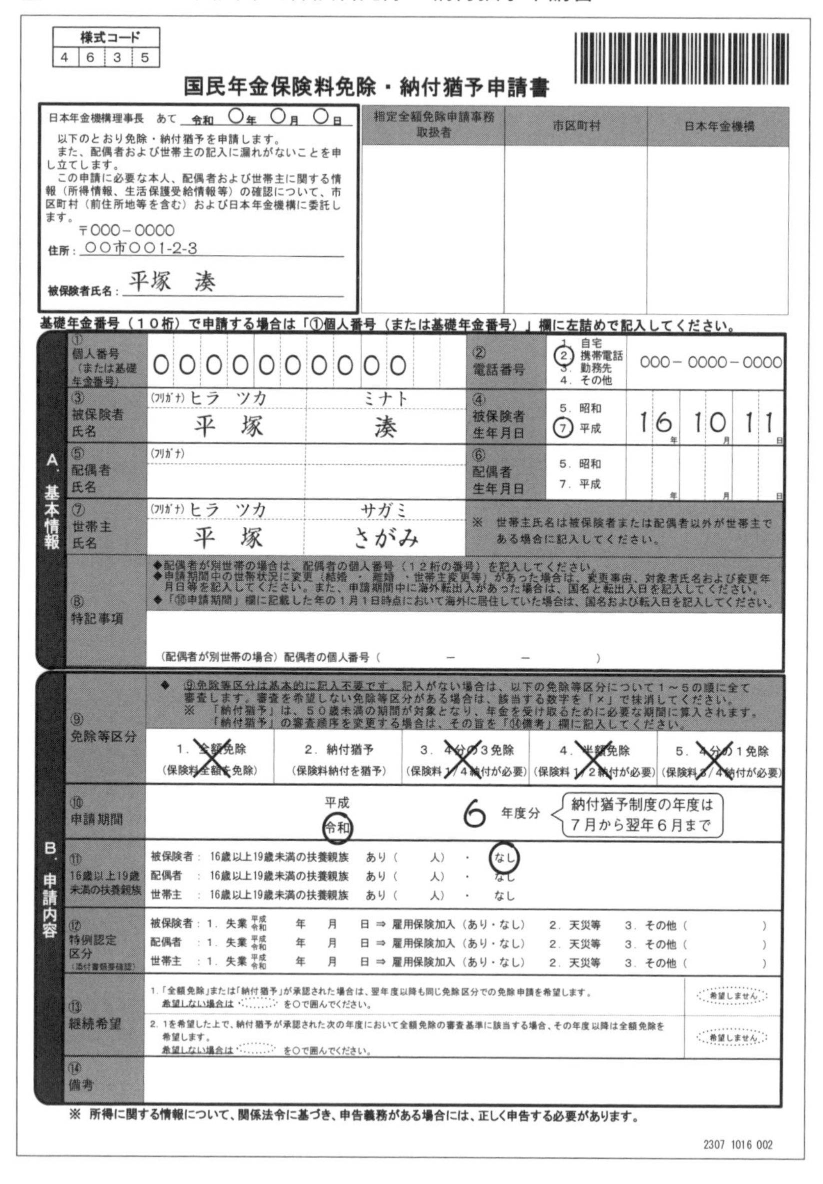

様式コード 4635

国民年金保険料免除・納付猶予申請書

日本年金機構理事長 あて 令和 ○年 ○月 ○日

以下のとおり免除・納付猶予を申請します。
また、配偶者および世帯主の記入に漏れがないことを申し立てします。
この申請に必要な本人、配偶者および世帯主に関する情報（所得情報、生活保護受給情報等）の確認について、市区町村（前住所地等を含む）および日本年金機構に委託します。

〒000−0000
住所：○○市○○1-2-3
被保険者氏名：平塚 湊

指定全額免除申請事務取扱者	市区町村	日本年金機構

基礎年金番号（10桁）で申請する場合は「①個人番号（または基礎年金番号）」欄に左詰めで記入してください。

A. 基本情報

① 個人番号（または基礎年金番号）	0000000000	② 電話番号	1. 自宅 ②携帯電話 3. 勤務先 4. その他　000−0000−0000
③ 被保険者氏名	(ﾌﾘｶﾞﾅ) ヒラ ツカ　ミナト 平 塚　湊	④ 被保険者生年月日	5. 昭和 ⑦平成　16年 10月 11日
⑤ 配偶者氏名	(ﾌﾘｶﾞﾅ)	⑥ 配偶者生年月日	5. 昭和 7. 平成　年 月 日
⑦ 世帯主氏名	(ﾌﾘｶﾞﾅ) ヒラ ツカ　サガミ 平 塚　さがみ	※ 世帯主氏名は被保険者または配偶者以外が世帯主である場合に記入してください。	

⑧ 特記事項
◆配偶者が別世帯の場合は、配偶者の個人番号（12桁の番号）を記入してください。
◆申請期間中の世帯状況に変更（結婚・離婚・世帯主変更等）があった場合は、変更事由、対象者氏名および変更年月日等を記入してください。また、申請期間中に海外転出入があった場合は、国名と転出入日を記入してください。
◆「⑩申請期間」欄に記載した年の1月1日時点において海外に居住していた場合は、国名および転入日を記入してください。
（配偶者が別世帯の場合）配偶者の個人番号（　−　−　）

B. 申請内容

⑨ 免除等区分
◆ ⑨免除等区分は基本的に記入不要です。記入がない場合は、以下の免除等区分について1〜5の順に全て審査します。審査を希望しない免除等区分がある場合は、該当する数字を「×」で抹消してください。
※ 「納付猶予」は、50歳未満の期間が対象となり、年金を受け取るために必要な期間に算入されます。「納付猶予」の審査順序を変更する場合は、その旨を「⑭備考」欄に記入してください。

1. 全額免除（保険料全額を免除） ✕	2. 納付猶予（保険料納付を猶予）	3. 4分の3免除（保険料1/4納付が必要） ✕	4. 半額免除（保険料1/2納付が必要） ✕	5. 4分の1免除（保険料3/4納付が必要） ✕

⑩ 申請期間：平成 ㊉令和 6 年度分

⑪ 16歳以上19歳未満の扶養親族
被保険者：16歳以上19歳未満の扶養親族 あり（ 人）・ ㊉なし
配偶者：16歳以上19歳未満の扶養親族 あり（ 人）・ なし
世帯主：16歳以上19歳未満の扶養親族 あり（ 人）・ なし

⑫ 特例認定区分（添付書類要確認）
被保険者：1. 失業 平成/令和 年 月 日 ⇒ 雇用保険加入（あり・なし） 2. 天災等 3. その他（ ）
配偶者：1. 失業 平成/令和 年 月 日 ⇒ 雇用保険加入（あり・なし） 2. 天災等 3. その他（ ）
世帯主：1. 失業 平成/令和 年 月 日 ⇒ 雇用保険加入（あり・なし） 2. 天災等 3. その他（ ）

⑬ 継続希望
1.「全額免除」または「納付猶予」が承認された場合は、翌年度以降も同じ免除区分での免除申請を希望します。希望しない場合は（　）を○で囲んでください。　希望しません
2. 1を希望した上で、納付猶予が承認された次の年度において全額免除の審査基準に該当する場合、その年度以降は全額免除を希望します。希望しない場合は（　）を○で囲んでください。　希望しません

⑭ 備考

※ 所得に関する情報について、関係法令に基づき、申告義務がある場合には、正しく申告する必要があります。

2307 1016 002

■図表1－16　国民年金保険料学生納付特例申請書

様式コード			
4	6	2	3

国民年金保険料学生納付特例申請書

日本年金機構理事長　あて　　令和 ○年 ○月 ○日

以下のとおり学生納付特例を申請します。
また、前年所得の記入内容に誤りがないことを申し立てします。
この申請に必要な本人に関する情報（所得情報、生活保護受給情報等）の確認について、市区町村（前住所地等を含む）および日本年金機構に委託します。

〒000－0000

住所：○○市○○1-2-3

被保険者氏名：平塚　湊

学生納付特例事務法人等	市区町村	日本年金機構

基礎年金番号（10桁）で申請する場合は「①個人番号（または基礎年金番号）」欄に左詰めで記入してください。

A．基本情報

① 個人番号（または基礎年金番号）	0000000000	② 生年月日	5．昭和　⑦ 平成　16年 10月 11日
③ 氏名	（フリガナ）ヒラ ツカ　ミナト 平 塚　湊	④ 電話番号	1．自宅　② 携帯電話　3．勤務先　4．その他　000－0000－0000

B．申請内容

⑤ 申請期間（学生納付特例を受けようとする期間）	平成・（令和）6年 10月から　平成・（令和）7年 3月まで
⑥ 在学予定期間	（入学年月）平成・（令和）5年 4月から　（卒業予定年月）平成・（令和）7年 3月まで
⑦ 学校の名称	○○専門学校
⑧ 学校の所在地	○○　都・道・府・（県）　○○市○○町
⑨ 学生の区分	① 学生（学位あり）　2．通信制・通信課程　3．科目履修生　4．研究生　5．その他（　　） ※左記の学生区分で、「1．学生（学位あり）」以外は学生納付特例制度に該当しない場合がありますので、あらかじめご了承ください。
⑩ 学生証の有効期限	平成・（令和）7年 3月末まで有効 ※学生証に有効期限の記載がない場合は、記入不要です。
⑪ 前年所得	① なし 2．あり（128万円以下） 3．あり（128万円超）⇒ 16歳以上19歳未満の扶養親族【 あり（　　人）・なし 】
⑫ 特例認定区分（該当事業を記入）	1．失業 平成・令和　年　月　日 ⇒ 雇用保険加入（あり・なし）　2．天災等　3．その他（　　）
⑬ 備考	

※　所得に関する情報について、関係法令に基づき、申告義務がある場合には、正しく申告する必要があります。

市区町村確認欄　学生証確認済 □

【留意事項】

○学生証のコピーをA4判で添付してください。
○学生証裏面に有効期限、学年、入学年月日の記載がある場合は裏面のコピーも必要です。
○在学証明書を添付される場合は、学生証のコピーは必要ありません。

2404 1016 001

② 保険料納付を選択する場合

令和6年度の国民年金保険料は月額16,980円です。納付期限は翌月の末日です。例えば､4月分の納付期限は5月末日となります。

（ア） 保険料の納付方法

保険料の納付方法は次の❶～❹があります。それぞれの手続きに関しては、「国民年金の加入と保険料のご案内（パンフレット）」をご覧ください。

❶ 口座振替

手間がかからず、指定した金融機関の口座から保険料を納付期日に自動的に引き落としする方法で、払い忘れ防止にもなります。

口座振替の毎月納付を、「翌月末振替」から「当月末振替（早割）」（例えば、4月分を4月末日に引落し）にすると、1か月あたり60円の割引きが受けられ､年間で720円が割引きされます。

❷ 納付書（現金）

日本年金機構が発行した納付書で、全国の金融機関や郵便局、コンビニエンスストア、電子納付（ATM、インターネット、モバイルバンキングなど）にて納めます。

❸ クレジットカード

保険料を定期的にクレジットカード会社が立替払いし、後にクレジットカード会社からカード会員に請求が行われる納付方法です。クレジットカードを提示し、直接納付する方法ではありません。被保険者とカード名義人が異なる場合も利用可能です。

❹　スマートフォンアプリ

令和5年2月から、新たにスマートフォンアプリを利用した電子（キャッシュレス）決済ができるようになりました。

（イ）　保険料が割引される前納制度

保険料を前納すると、年率4%で複利計算され年平均1.8%の割引があります。現金払いで1年度分（令和6年度）を前納すると、年間3,620円、2年度分の前納なら、2年分で15,290円の割引となります。

（ウ）　老後の年金額を増やせる付加年金制度

国民年金の定額保険料に付加保険料（月額400円）を納めると、老齢基礎年金に上乗せして受けられます。付加年金額（年額）は「200円×付加保険料納付月数」で計算し、2年以上受け取ると支払った付加保険料以上の年金が受け取れます。ただし、付加年金の対象者は国民年金の「第1号被保険者」または「65歳未満の任意加入被保険者」です。会社員や公務員などの被用者（第2号被保険者）や、その被扶養者で専業主婦（夫）など（第3号被保険者）は付加保険料を納付することはできません。

なお、国民年金の「第1号被保険者」のうち、保険料納付の免除（法定免除、納付猶予、学生納付特例）を選択している方は、付加保険料を納付することはできません。

コラム①

障害年金の対象とならない精神疾患とは

障害年金は、基本的にほとんどすべての障害が支給の対象になりますが、神経症やパーソナリティ障害（人格障害）は対象外となります。

認定要領の「統合失調症、統合失調症型障害及び妄想性障害並びに気分（感情）障害」に、以下の記述があります。

> (4)　人格障害は、原則として認定の対象とならない。
>
> (5)　神経症にあっては、その症状が長期間持続し、一見重症なものであっても、原則として、認定の対象とならない。ただし、その臨床症状から判断して精神病の病態を示しているものについては、統合失調症又はそううつ病に準じて取り扱う。

ここでは、神経症とパーソナリティ障害（人格障害）が障害年金の対象外とされている理由と、年金請求における対処方法について説明します。

①　神経症

神経症は、悩み、ストレスなどの心理的負荷からさまざまな症状を引き起こす心因性疾患です。代表的なものとして、パニック障害、社会不安障害、強迫性障害、適応障害などがあります。

神経症を原則対象外としている理由として、障害年金の行政不服審査を行う社会保険審査会は、裁決で「自己治癒可能性」と「疾病利得」をたびたび挙げています。

（ア）自己治癒可能性

平成25年（国）第1069号の裁決では、「患者がその疾病や病状について十分認識しており、それに応じた対応をとることが可能であると判断され、重症の障害から引き返し得る状態にあると考えられる」と述べられています。

（イ）疾病利得

また、同裁決にて、「いわゆる仮病とは異なる概念であるが、症状の発現やその症状が遷延することによって引き起こされる心理的あるいは現実的な満足感のことを意味するとされており、例えば、一見重篤な障害によって家族の同情や共感を得ることができたり、仕事や苦しい現実から逃避ができたりする利得を指す」としています。

上記の裁決文を要約すると、「病識があり、自ら対処することでその状況から脱することが可能である。その程度の状態に対し障害年金を支給してしまうと満足してしまい、自ら治す努力を失わせる危険性があるから原則として支給の対象としない。」ということです。

ただ、とはいうものの、認定要領には、「ただし、その臨床症状から判断して精神病の病態を示しているものについては、統合失調症又はそううつ病に準じて取り扱う」と例外も示されています。

つまり、統合失調症（幻覚妄想、喜怒哀楽の表現が乏しいなど）や（躁）うつ病（憂うつ気分、気分の異常な高揚など）と同程度（精神病様態）の精神症状があれば、認定の対象となります。

この場合、診断書「⑬備考」に「精神病の病態を示している（精神病様態）」ことと、示している病態のICD-10コードが記載されている必要があります。たとえば、パニック障害にうつ病と同程度の精神症状（憂うつ気分など）がある場合、「パニック障害は精神病（またはうつ病）の病態を示している。F32（※）」（※うつ病のICD-10コード）と医師に記入してもらいます。

② パーソナリティ障害（人格障害）

パーソナリティ障害（人格障害）は、大多数の人とは違う反応や行動をすることで本人が苦しんだり、周囲が困ったりする場合に診断されます。認知（ものの捉え方や考え方）、感情のコントロール、対人関係といった種々の精神機能の偏りから生じるものです。「性格が悪いこと」を意味するものではありません（出典：厚生労働省、みんなのメンタルヘルス総合サイト）。

パーソナリティ障害の中でも境界性パーソナリティ障害などは、認定されることがあります。境界性パーソナリティ障害は、気分の波が激しく感情が著しく不安定で、現実または妄想で見捨てられることを強く恐れ、自傷行為を繰り返すなどの特徴があります。

パーソナリティ障害を障害年金の対象外としている明確な根拠や例外は示されていません。ただし、境界性パーソナリティ障害の認定事例を踏まえると、統合失調症や（躁）うつ病と同程度の精神症状が見られないパーソナリティ障害を対象外としているものと考えられます。境界性や統合失調型パーソナリティ障害など、精神病水準の精神症状がある場合は、神経症と同じ対応（診断書「⑬備考」に「精神病の病態を示している（精神病様態）」ことと、相当するICD-10コードを医師に記入してもらう）となります。

第2章

障害認定基準と
等級判定ガイドラインを知ろう

1　認定基準・認定要領の概要

障害年金は障害の程度がどの等級に該当するか決まらなければ支給されません。保険者（厚生労働大臣）が障害の程度を認定するための具体的な基準を定めたのが**障害認定基準**（国民年金・厚生年金保険障害認定基準）です。

障害認定基準は、障害の部位ごとに各等級の判断にあたっての日常生活・社会生活上の制限の度合いをイメージさせる、いわば総論にあたります。

障害の部位から傷病名ごとに分類し、各等級の例示と認定にあたっての具体的な留意点が示されているのが、各論にあたる**認定要領**です。

知的障害・発達障害は、精神の障害に含まれ、認定基準は国民年金法施行令別表、厚生年金保険法施行令別表第１および第２に規定されています。この規定は、抽象的な表現でわかりにくいのですが、簡単に言い換えると、おおむね次のようになります（**図表２－１**）。

■図表２－１　認定基準の具体的なイメージ

障害の程度	障害の状態
１級	精神の障害であって、日常生活の用を弁ずることを不能ならしめる程度のもの 障害の影響で寝たきりなどになっており、一人では身の回りのことができない。 常に他人からの援助や支援が必要となる。 活動範囲が病院のベッド周辺のみ、または自宅の寝室のみに限られている。
２級	精神の障害であって、日常生活が著しい制限を受けるか、又は日常生活に著しい制限を加えることを必要とする程度のもの 障害を持っているために、身の回りのことや社会生活に著しい制限を受け、常にではないものの他人からの援助や支援を必要とする。 活動範囲が病棟内、または自宅のみに限られている。 労働による収入を得ることができない。
３級	精神に、労働が著しい制限を受けるか、又は労働に著しい制限を加えることを必要とする程度の障害を残すもの 精神に、労働が制限を受けるか、又は労働に制限を加えることを必要とする程度の障害を有するもの 障害を持っていても、ある程度の日常生活や社会生活はできるが、特に就労の面において著しい制限を受ける、または制限を必要とする。
障害手当金※	精神に、労働が制限を受けるか、又は労働に制限を加えることを必要とする程度の障害を残すもの 障害の程度３級にあてはまる程度ではないが、就労において制限を受けることがあったり、就労の制限を受けたりする程度の障害を残すものをいう。

※　障害手当金は初診日から５年以内に障害が治った（症状固定）場合に、その治った日（症状固定）から５年以内に請求した場合にだけ支給されます。規定はされていますが、精神の障害で症状固定と判断されることは器質性精神障害など一部を除いてほとんどなく、精神の障害では実質対象外となっています。

障害の程度２級の例示に挙げられた日常生活状況にあてはまらな

いと障害年金はもらえない、ということはありません。

認定基準の文末に、「精神の障害は、多種であり、かつ、その症状は同一原因であっても多様である。したがって、認定にあたっては具体的な日常生活状況等の生活上の困難を判断するとともに、その原因及び経過を考慮する。」と記載されています。

つまり、障害年金請求時点の日常生活状況だけでなく、発育・養育歴、就学・就労状況、福祉サービスの支援経過などを総合的に判断することになっています。

2　知的障害の認定要領

(1)　知的障害とは、知的機能の障害が発達期（おおむね18歳まで）にあらわれ、日常生活に持続的な支障が生じているため、何らかの特別な援助を必要とする状態にあるものをいう。

ここでは知的障害を定義しています。18歳頃までに発症すると書かれていますが、実際は出生前の胎児期に発現する先天的なことが多く、初診年月日は出生日になります。

(2)　各等級に相当すると認められるものを一部例示すると次のとおりである。

障害の程度	障害の状態
1級	知的障害があり、食事や身のまわりのことを行うのに全面的な援助が必要であって、かつ、会話による意思の疎通が不可能か著しく困難であるため、日常生活が困難で常時援助を必要とするもの
2級	知的障害があり、食事や身のまわりのことなどの基本的な行為を行うのに援助が必要であって、かつ、会話による意思の疎通が簡単なものに限られるため、日常生活にあたって援助が必要なもの
3級	知的障害があり、労働が著しい制限を受けるもの

１級は生活全般に介助・援助が必要な状況で施設入所や生活介護を利用している方などが対象になります。

２級は日常生活に支援・見守りが必要な方ですので、療育手帳を所持している方なら、ほとんどの方があてはまるのではないかと思います。就労していても、職場での配慮の状況によっては２級の対象になります。

３級は初診日が厚生年金の被保険者だった方が対象です。知的障害の初診日は出生日（20歳前傷病による障害基礎年金）ですので、３級は「障害基礎年金非該当」となります。

> (3)　知的障害の認定に当たっては、知能指数のみに着眼することなく、日常生活のさまざまな場面における援助の必要度を勘案して総合的に判断する。
>
> また、知的障害とその他認定の対象となる精神疾患が併存しているときは、併合（加重）認定の取扱いは行わず、諸症状を総合的に判断して認定する。

障害年金制度で適用されているICD-10（国際疾病分類第10版）では、知能指数（IQ）が最重度（～19）、重度（20～34）、中度（35～49）、軽度（50～69）の知的障害と定めています。認定要領に明確な知能指数が示されてはいないものの、IQ69以下が目安となっていると考えられます。ただし、知能指数の高さは一つの指標に過ぎないので、日常生活に支援・見守りが必要な場合はIQ70以上の境界領域であっても認定の可能性はあります。

また、発達障害など他の精神疾患が併存しているときは、障害ごとに別々ではなく一体的に等級判定を行うことが示されています。

> (4)　日常生活能力等の判定に当たっては、身体的機能及び精神的機能を考慮の上、社会的な適応性の程度によって判断するよう努める。

社会的な適応性とは、社会の一員としてその人に期待される要求に対していかに効率よく適切に対処し、自立しているのかを指します。習慣化した行動はできても、初めてのことや臨機応変な対応が一人では難しい場合、社会的な適応性が十分とはいえません。

> (5)　就労支援施設や小規模作業所などに参加する者に限らず、雇用契約により一般就労をしている者であっても、援助や配慮のもとで労働に従事している。
>
> 　したがって、労働に従事していることをもって、直ちに日常生活能力が向上したものと捉えず、現に労働に従事している者については、その療養状況を考慮するとともに、仕事の種類、内容、就労状況、仕事場で受けている援助の内容、他の従業員との意思疎通の状況等を十分確認したうえで日常生活能力を判断すること。

3級の例示に「知的障害があり、労働が著しい制限を受けるもの」と書かれているので、就労していると3級よりも重い2級は難しいのでは、と思うかもしれません。

しかし、実際には一般企業の特例子会社にフルタイム就労していても2級と判定されるケースが多くあります。詳しくは、**第3章 1 働いていても年金は受け取れる**（☞ 84ページ）で解説しています。

3　発達障害の認定要領

(1)　発達障害とは、自閉症、アスペルガー症候群その他の広汎性発達障害、学習障害、注意欠陥多動性障害その他これに類する脳機能の障害であってその症状が通常低年齢において発現するものをいう。

発達障害は、脳の働き方の違いにより、幼少期から行動面や情緒面に特徴が表れる疾患の総称です。ここでは、広汎性発達障害（自閉症、アスペルガー症候群、自閉症スペクトラム障害）、学習障害、注意欠陥多動性障害の3つが挙げられています。その他の疾患でも発達障害に分類されていれば認定対象となります。

また、「低年齢において発現」とありますが、小さい頃から障害を感じていなければ認定対象としない、という訳ではありません。「大人の発達障害」といわれるような、低年齢のうちは自覚しておらず、大人になってから判明したケースも含まれます。

(2)　発達障害については、たとえ知能指数が高くても社会行動やコミュニケーション能力の障害により対人関係や意思疎通を円滑に行うことができないために日常生活に著しい制限を受けることに着目して認定を行う。

また、発達障害とその他認定の対象となる精神疾患が併存しているときは、併合（加重）認定の取扱いは行わず、諸症状を総合的に判断して認定する。

知能指数（IQ）が100を超える方でも、社会的なコミュニケーションや他の人とのやりとりが上手くできなければ認定対象となります。

また、知的障害やうつ病など他の精神疾患が併存しているときは、障害ごとに別々でなく一体的に等級判定を行うことが示されています。

(3)　発達障害は、通常低年齢で発症する疾患であるが、知的障害を伴わない者が発達障害の症状により、初めて受診した日が20歳以降であった場合は、当該受診日を初診日とする。

知的障害の初診年月日は出生日となりますが、発達障害ではその他の精神疾患と同じく、「はじめて医師の診療を受けた日」となります。幼少期に発達障害に気づかれないまま過ごし、大人になって仕事や対人関係が上手くいかないことで悩み、それがきっかけで発達障害に気づくことがあります。そのような場合、自覚してはじめて医療機関（精神科、心療内科など）にかかった日が初診日となります。

初診日が厚生年金加入期間、かつその他の要件を満たせば、障害厚生年金を請求できます。

(4)　各等級に相当すると認められるものを一部例示すると次のとおりである。

障害の程度	障害の状態
1級	発達障害があり、社会性やコミュニケーション能力が欠如しており、かつ、著しく不適応な行動がみられるため、日常生活への適応が困難で常時援助を必要とするもの
2級	発達障害があり、社会性やコミュニケーション能力が乏しく、かつ、不適応な行動がみられるため、日常生活への適応にあたって援助が必要なもの

３級	発達障害があり、社会性やコミュニケーション能力が不十分で、かつ、社会行動に問題がみられるため、労働が著しい制限を受けるもの

１級はコミュニケーション能力が不足していて、他者との社会的な関わりが著しく制限されている方が対象になります。知的障害や二次障害としてうつ病など他の精神疾患を抱えていることが多いのが特徴です。

２級は円滑なコミュニケーションが取れず、社会との継続的な関わりに援助が必要な方が対象です。就労していても、職場での配慮の状況によっては２級の対象になります。

３級は日常生活における制限は限定的だが、コミュニケーションに課題があり、仕事など社会生活に制限がある方が対象になります。

なお、３級は厚生年金加入期間に初診日がある方のみが対象になります。

(5)　日常生活能力等の判定に当たっては、身体的機能及び精神的機能を考慮の上、社会的な適応性の程度によって判断するよう努める。

診断書の「日常生活能力の判定」(☞ **121 ページ 第４章６ 日常生活状況をまとめよう**）に「適切な食事」「身辺の清潔保持」「通院や服薬」などの判定項目があります。発達障害は決められた行動パターンであれば、身の回りのことは自分できる方が多いのが特徴です。そうすると、できる項目が多く、軽い判定になってしまうことがあります。

しかし、夕食と風呂の時間が逆になる、急に通院日が変わるといった予期せぬ出来事に対してはパニックになり、対処できなくなることもありえます。さらに集団生活の場では、さまざまな不都合さを生じ、不適応につながることもあります。

「日常生活能力の判定」の項目を検討する際には、これらの障害特性を考慮して判定することが示されています。

> (6)　就労支援施設や小規模作業所などに参加する者に限らず、雇用契約により一般就労をしている者であっても、援助や配慮のもとで労働に従事している。
>
> 　したがって、労働に従事していることをもって、直ちに日常生活能力が向上したものと捉えず、現に労働に従事している者については、その療養状況を考慮するとともに、仕事の種類、内容、就労状況、仕事場で受けている援助の内容、他の従業員との意思疎通の状況等を十分確認したうえで日常生活能力を判断すること

3級の例示に「発達障害があり、（中略）労働が著しい制限を受けるもの」と書かれているので、就労していると3級よりも重い2級は難しいのでは、と思うかもしれません。

しかし、実際には一般企業の特例子会社にフルタイム就労していても2級と判定されるケースが多くあります。詳しくは、**第3章 1 働いていても年金は受け取れる**（☞84ページ）にて解説しています。

4　等級判定ガイドラインとは

等級判定ガイドラインとは、精神障害・知的障害・発達障害の等級判定が適正に行われるよう、「認定基準・認定要領」を補完する目的で策定され、平成28年9月から運用されています。

このガイドラインでは、診断書記載項目を数値化し、その数値と等級の関係性や、考慮すべき要素の具体例が整理されており、審査の視点を知ることができます。

①　ガイドライン策定の経緯

ガイドラインが策定・運用される前は、障害基礎年金の審査は都道府県単位で行われていました。

平成26年頃、障害年金の等級判定に地域差が大きいとのマスコミ報道などを受け、厚生労働省が調査を行った結果、最大で約6.1倍の地域差があることが判明しました（**図表2－2**）。

不支給の割合がもっとも低い栃木県では、100件のうち4件のみが不支給となり、残りの96件は支給になっています。それに対して、不支給の割合がもっとも高い大分県では、100件のうち約24件も不支給になっています。

栃木県の4.0％と大分県の24.4％を指して「6.1倍の地域差」と騒がれましたが、事態はより深刻でした。障害の種別ごとに分けて、全体の6割以上を占める精神・知的障害で比較すると、徳島、岩手など4県の不支給の割合が0.0％に対して、兵庫県が55.6％（99件のうち55件が不支給）と突出していました。

図表２－２　等級判定の地域差についての調査

<不支給の割合が低い上位 10 県>　(%)

	栃木	新潟	宮城	長野	徳島	山形	島根	石川	岩手	神奈川
全ての障害	4.0	5.2	5.7	5.8	6.2	6.3	6.5	6.7	7.2	7.2
精神・知的障害	1.5	3.7	3.1	1.0	0.0	4.4	2.4	5.0	0.0	5.8

<不支給の割合が高い上位 10 県>　(%)

	大分	茨城	佐賀	兵庫	山口	広島	沖縄	福岡	奈良	滋賀
全ての障害	24.4	23.2	22.9	22.4	21.2	19.3	17.6	16.7	16.7	16.3
精神・知的障害	33.0	20.3	31.0	55.6	17.0	21.9	5.8	12.8	16.0	17.8

（出典：厚生労働省、障害基礎年金の障害認定の地域差に関する調査結果（平成 27 年 1 月 14 日））

※　全ての障害は平成 22 年度～平成 24 年度の平均割合、精神・知的障害は平成 24 年度の割合を表示。

その原因となっていたのが、精神障害・知的障害における「日常生活能力の程度」の解釈の違いです。

診断書の記載項目「日常生活能力の程度」では、下記（１）～（５）から選択することになっています。

（１）	精神障害（知的障害）を認めるが社会生活は普通にできる。
（２）	精神障害（知的障害）を認め、家庭内での日常生活は普通にできるが、社会生活には、援助が必要である。
（３）	精神障害（知的障害）を認め、家庭内での単純な日常生活はできるが、時に応じて援助が必要である。
（４）	精神障害（知的障害）を認め、日常生活における身のまわりのことも、多くの援助が必要である。
（５）	精神障害（知的障害）を認め、身のまわりのこともほとんどできないため、常時の援助が必要である。

２級の障害状態に該当すれば障害基礎年金を受給できます。「認定基準・認定要領」では、２級を「日常生活に著しい制限を受けるもの」（統合失調症の場合）と例示しています。

不支給の割合が高い10県では、「日常生活能力の程度」が（３）以上を２級の目安にしていました。

一方、不支給の割合が低い10県は、例示「日常生活に著しい制限を受けるもの」の解釈の幅を拡げ、「日常生活能力の程度」の（２）～（３）を２級の目安にしていました。

客観的な検査数値で等級判定が可能な障害と異なり、精神障害・知的障害では、「認定基準・認定要領」だけで各都道府県の尺度をそろえることには限界がありました。

この状況を重くみた厚生労働省は、専門家検討会を重ね、客観的な判定指標を用いた統一のガイドラインを策定しました。もともと障害厚生年金は東京で審査していましたが、障害基礎年金もそれにならい都道府県単位で行っていた審査を東京に一元化しました。

なお、「てんかん」については、ガイドラインの対象傷病からは除かれています。

②　ガイドラインに沿った障害等級の判定

ガイドラインの良い点は、「〔表1〕障害等級の目安」と「〔表2〕総合評価の際に考慮すべき要素の例」が示されたことです。「認定基準・認定要領」は、抽象的でどちらにもとれるような表現がありましたが、〔表1〕の数値と〔表2〕具体例が示されたことで、等級判定が容易になりました。

（ア）〔表1〕障害等級の目安

診断書の記載項目「日常生活能力の判定」の評価平均と「日常生活能力の程度」の評価を組み合わせたものが、どの障害等級に相当するかの目安を示したものです。

ここでは、「〔表1〕障害等級の目安」（**図表2－3**）に沿った等級判定の手順を説明します。

■図表2－3　〔表1〕障害等級の目安

重い ← → 軽い（程度）／ 重い ↑ ↓ 軽い（判定平均）

判定平均＼程度	(5)	(4)	(3)	(2)	(1)
3.5以上	1級	1級又は2級			
3.0以上3.5未満	1級又は2級	2級	2級		
2.5以上3.0未満		2級	2級又は3級		
2.0以上2.5未満		2級	2級又は3級	3級又は3級非該当	
1.5以上2.0未満			3級	3級又は3級非該当	
1.5未満				3級非該当	3級非該当

注：障害基礎年金の場合、表内の「3級」は「2級非該当」と読み替える。

平塚湊さん（知的障害）の診断書（☞**224ページ 巻末資料**）を例にして、「障害等級の目安」のどこに該当するか確認してみます。

【STEP 1】「日常生活能力の判定」を数値化する

タテ軸の判定平均は、診断書の記載項目「日常生活能力の判定」の4段階評価について、程度の軽いほうから1～4の数値に置き換え、その平均を算出します（**図表2－4**）。

■図表２－４

■ 日常生活能力の判定

家族等の同居者がいる場合は、単身生活の場面を想定して判定します。

各項目を1～4点で置き換える。

① 適切な食事
配膳などの準備も含めて適当量をバランスよく摂ることがほぼできるなど。

- □ できる　1
- □ 自発的にできるが時には助言や指導を必要とする　2
- ✔ 自発的かつ適正に行うことはできないが助言や指導があればできる　3
- □ 助言や指導をしてもできない、若しくは行わない　4

② 身辺の清潔保持
洗面、洗髪、入浴等の身体の衛生保持や着替え等ができる。また自室の清掃や片付けができるなど。

- □ できる　1
- □ 自発的にできるが時には助言や指導を必要とする　2
- ✔ 自発的かつ適正に行うことはできないが助言や指導があればできる　3
- □ 助言や指導をしてもできない、若しくは行わない　4

③ 金銭管理と買い物
金銭を単独で管理し、やりくりがほぼできる。また、一人で買い物が可能であり、計画的な買い物がほぼできるなど。

- □ できる　1
- □ おおむねできるが時には助言や指導を必要とする　2
- □ 助言や指導があればできる　3
- ✔ 助言や指導をしてもできない若しくは行わない　4

④ 通院と服薬(要・不要)
規則的に通院や服薬を行い、病状等を主治医に伝えることができるなど。

- □ できる　1
- ✔ おおむねできるが時には助言や指導を必要とする　2
- □ 助言や指導があればできる　3
- □ 助言や指導をしてもできない若しくは行わない　4

⑤ 他人との意思伝達および対人関係　他人の話を聞く、自分の意思を相手に伝える、集団的行動が行えるなど。

- □ できる　1
- □ おおむねできるが時には助言や指導を必要とする　2
- ✔ 助言や指導があればできる　3
- □ 助言や指導をしてもできない若しくは行わない　4

⑥ 身辺の安全保持および危機対応　事故等の危険から身を守る能力がある、通常とは異なる事態となった時に他人に援助を求めるなどを含めて、適正に対応することができるなど。

- □ できる　1
- □ おおむねできるが時には助言や指導を必要とする　2
- ✔ 助言や指導があればできる　3
- □ 助言や指導をしてもできない若しくは行わない　4

⑦ 社会性　銀行での金銭の出し入れや公共施設等の利用が一人で可能。また、社会生活に必要な手続きが行えるなど

- □ できる　1
- □ おおむねできるが時には助言や指導を必要とする　2
- □ 助言や指導があればできる　3
- ✔ 助言や指導をしてもできない、若しくは行わない　4

合計 **22** 点 / 平均 **3.1** 点

【STEP 2】「日常生活能力の程度」の５段階を確認する

ヨコ軸の程度は総合評価にあたる部分で、診断書の記載項目「日常生活能力の程度」の５段階を指します（**図表２－５**）。

■図表２－５　日常生活能力の程度

<精神障害>

(1)	精神障害（病的体験・残遺症状・認知障害・性格変化等）を認めるが、社会生活は普通にできる。
(2)	精神障害を認め、家庭内での日常生活は普通にできるが、社会生活には、援助が必要である。 （たとえば、日常的な家事をこなすことはできるが、状況や手順が変化したりすると困難を生じることがある。社会行動や自発的な行動が適切にできないこともある。金銭管理はおおむねできる場合など）
(3)	精神障害を認め、家庭内での単純な日常生活はできるが、時に応じて援助が必要である。 （たとえば、習慣化した外出はできるが、家事をこなすために助言や指導を必要とする。社会的な対人交流は乏しく、自発的な行動に困難がある。金銭管理が困難な場合など）
(4)	精神障害を認め、日常生活における身のまわりのことも、多くの援助が必要である。 （たとえば、著しく適正を欠く行動が見受けられる。自発的な発言が少ない。あっても発言内容が不適切であったり不明瞭であったりする。金銭管理ができない場合など）
(5)	精神障害を認め、身のまわりのこともほとんどできないため、常時の援助が必要である。 （たとえば、家庭内生活においても、食事や身のまわりのことを自発的にすることができない。また、在宅の場合に通院等の外出には、付き添いが必要な場合など）

＜知的障害＞

(1)	知的障害を認めるが、社会生活は普通にできる。
(2)	知的障害を認め、家庭内での日常生活は普通にできるが、社会生活には、援助が必要である。 （たとえば、簡単な漢字は読み書きができ、会話も意思の疎通が可能であるが、抽象的なことは難しい。身辺生活も一人でできる程度）
(3)	知的障害を認め、家庭内での単純な日常生活はできるが、時に応じて援助が必要である。 （たとえば、ごく簡単な読み書きや計算はでき、助言などがあれば作業は可能である。具体的指示であれば理解ができ、身辺生活についてもおおむね一人でできる程度）
(4)	知的障害を認め、日常生活における身のまわりのことも、多くの援助が必要である。 （たとえば、簡単な文字や数字は理解ができ、保護的環境であれば単純作業は可能である。習慣化していることであれば言葉での指示を理解し、身辺生活についても部分的にできる程度）
(5)	知的障害を認め、身のまわりのこともほとんどできないため、常時の援助が必要である。 （たとえば、文字や数の理解力がほとんどなく、簡単な手伝いもできない。言葉による意思の疎通がほとんど不可能であり、身辺生活の処理も一人ではできない程度）

■図表２－６　障害等級の目安へのあてはめ

平塚湊さんの「日常生活能力の判定」「日常生活能力の程度」を、〔表１〕障害等級の目安にあてはめます。

（知的障害）
□（１）知的障害を認めるが、社会生活は普通にできる。
□（２）知的障害を認め、家庭内での日常生活は普通にできるが、社会生活には、援助が必要である。
（たとえば、簡単な漢字は読み書きができ、会話も意思の疎通が可能であるが、抽象的なことは難しい。身辺生活も一人でできる程度）
☑（３）知的障害を認め、家庭内での単純な日常生活はできるが、時に応じて援助が必要である。
（たとえば、ごく簡単な読み書きや計算はでき、助言などがあれば作業は可能である。具体的指示であれば理解ができ、身辺生活についてもおおむね一人でできる程度）
□（４）知的障害を認め、日常生活における身のまわりのことも、多くの援助が必要である。
（たとえば、簡単な文字や数字は理解でき、保護的環境であれば単純作業は可能である。習慣化していることであれば言葉での指示を理解し、身辺生活についても部分的にできる程度）
□（５）知的障害を認め、身のまわりのこともほとんどできないため、常時の援助が必要である。
（たとえば、文字や数の理解力がほとんど無く、簡単な手伝いもできない。言葉による意思の疎通がほとんど不可能であり、身辺生活の処理も一人ではできない程度）

【STEP１】で算出した「日常生活能力の判定」７項目の平均点（3.1点）をあてはめる。

「日常生活能力の程度」のチェックした番号をあてはめる。

〔〔表１〕障害等級の目安〕

判定平均＼程度	（5）	（4）	（3）	（2）	（1）
3.5以上	1級	1級 又は 2級			
3.0以上3.5未満	1級 又は 2級	2級	**2級**		
2.5以上3.0未満		2級	2級 又は 3級		
2.0以上2.5未満		2級	2級 又は 3級	3級 又は 3級非該当	
1.5以上2.0未満			3級	3級 又は 3級非該当	
1.5未満				3級非該当	3級非該当

【STEP 3】「障害等級の目安」にあてはめる

〔表１〕障害等級の目安のタテ軸（判定平均）に「3.1点」を、横軸（程度）に「（３）」をあてはめると、「２級」が導き出されます（**図表２－６**）。

平塚湊さんの障害等級は「2級」に該当することがわかりました。ただし、「〔表1〕障害等級の目安」は総合判定時の参考となりますが、個々の等級判定は、診断書等に記載される他の要素も含めて総合的に評価することになっています。

つまり、「〔表1〕障害等級の目安」が「2級」であっても、他の要素によっては、「2級非該当」に判定されることもあります。

「他の要素とは何を指すか」「どのような状況を評価するのか」は、「〔表2〕総合評価の際に考慮すべき要素の例」に示されています。

（イ）〔表2〕総合評価の際に考慮すべき要素の例

障害状態や生活状況は多様であり、判断にあたり個別の状況を斟酌する必要があります。

「〔表2〕総合評価の際に考慮すべき要素の例」では診断書の記載項目について、❶現在の病状又は状態像、❷療養状況、❸生活環境、❹就労状況、❺その他の５つに区分しています。それぞれの区分では、総合評価で考慮すべき要素を精神障害、知的障害、発達障害ごとに明確にしています。

内容が多岐にわたり、どの部分が重要なのか判断に迷うかもしれません。知的障害・発達障害に関連する箇所をピックアップし、一部解説を加えました。❹就労状況は特に重要なので、考慮すべき要素の「具体的な内容例」も反映しています。

<table>
<tr><th></th><th>知的障害</th><th>発達障害</th></tr>
<tr><td rowspan="4">❶現在の病状又は状態像</td><td colspan="2">○　認定の対象となる複数の精神疾患が併存しているときは、併合（加重）認定の取扱いは行わず、諸症状を総合的に判断する。

併合（加重）認定とは、複数の障害を個別に評価し、併合判定参考表にあてはめて上位等級に認定する認定手法です。
知的障害を伴う発達障害などは、基本的に併合（加重）認定を行わず、複数の疾患の諸症状を一つの障害としてまとめる総合認定になります。</td></tr>
<tr><td colspan="2">○　ひきこもりについては、精神障害の影響により、継続して日常生活に制限が生じている場合は、それを考慮する。

ひきこもりとは、さまざまな要因によって社会的な参加の場面が狭まり、自宅以外での生活の場が長期にわたって失われている状態です。
ひきこもり自体は病気ではありませんが、多くは知的・発達障害を含め何かしらの精神障害が関与しているといわれています。
精神障害の影響で疎通性が乏しく、対人関係が家族や支援者などに限られる場合は「継続して日常生活に制限が生じている」と考えられます。</td></tr>
<tr><td>○　知能指数を考慮する。ただし、知能指数のみに着眼することなく、日常生活のさまざまな場面における援助の必要度を考慮する。
（☞ 52ページ 本章２ 知的障害の認定要領（3））</td><td>○　知能指数が高くても日常生活能力が低い（特に対人関係や意思疎通を円滑に行うことができない）場合は、それを考慮する。
（☞ 54ページ 本章３ 発達障害の認定要領（2））</td></tr>
<tr><td colspan="2">○　不適応行動を伴う場合に、診断書の⑩「ア 現在の病状又は状態像」のⅦ知的障害等またはⅧ発達障害関連症状と合致する具体的記載があれば、それを考慮する。</td></tr>
</table>

<table>
<tr><th></th><th>知的障害</th><th>発達障害</th></tr>
<tr><td></td><td colspan="2">診断書（☞ 225 ページ）の⑩「ア 現在の病状又は状態像」のⅦ知的障害等またはⅧ発達障害関連症状には、代表的な症状が記載されています。これらの症状による不適応行動（☞ 80 ページ コラム②）であれば、その場面や度合いに応じて判断されます。</td></tr>
<tr><td></td><td></td><td>○　臭気、光、音、気温などの感覚過敏があり、日常生活に制限が認められれば、それを考慮する。

特定の臭いや音がものすごく苦手、明るい屋内をまぶしく感じるなど、感覚過敏の方は、音、光、気温、気圧、湿度などに対して非常に敏感です。
感覚過敏により、日常生活に制限がある場合、その場面や度合いも総合評価の対象になります。</td></tr>
<tr><td>❷療養状況</td><td colspan="2">○　通院の状況（頻度、治療内容など）を考慮する。薬物治療を行っている場合は、その目的や内容（種類・量（記載があれば血中濃度）・期間）を考慮する。また、服薬状況も考慮する。
通院や薬物療法が困難又は不可能である場合は、その理由や他の治療の有無及びその内容を考慮する。

この項目で知的・発達障害に関連するのは、他の精神疾患が併存していることにより、通院や薬物治療を行っている場合です。
通院の頻度、薬物治療の目的、内容（種類、量、期間）、さらに服薬状況などが考慮され、障害ごとに別々ではなく一体的に等級判定されます。</td></tr>
<tr><td></td><td colspan="2">○　著しい不適応行動を伴う場合や精神疾患が併存している場合は、その療養状況も考慮する。</td></tr>
</table>

	知的障害	発達障害
	不適応行動（☞ 80 ページ コラム②）がある場合やうつ病などの精神疾患が併存している場合は、その療養状況も総合評価の対象になります。	
❸生活環境	○　家族等の日常生活上の援助や福祉サービスの有無を考慮する。 ○　入所施設やグループホーム、日常生活上の援助を行える家族との同居など、支援が常態化した環境下では日常生活が安定している場合でも、単身で生活するとしたときに必要となる支援の状況を考慮する。 ○　独居の場合、その理由や独居になった時期を考慮する。 （☞ 196 ページ コラム⑤） ○　在宅での援助の状況を考慮する。 ○　施設入所の有無、入所時の状況を考慮する。 在宅で重度訪問介護等、常時個別の援助を受けている場合は１級の可能性が検討されます。 施設に入所している場合、本人の安全確保などのために常時あるいは頻繁に個別の援助を受けている場合も１級の可能性が検討されます。	
❹就労状況	○　労働に従事していることをもって、直ちに日常生活能力が向上したものと捉えず、現に労働に従事している者については、その療養状況を考慮するとともに、仕事の種類、内容、就労状況、仕事場で受けている援助の内容、他の従業員との意思疎通の状況などを十分確認したうえで日常生活能力を判断する。 ○　援助や配慮が常態化した環境下では安定した就労ができている場合でも、その援助や配慮がない場合に予想される状態を考慮する。 ○　相当程度の援助を受けて就労している場合は、それを考慮する。 ○　就労の影響により、就労以外の場面での日常生活能力が著しく低下していることが客観的に確認できる場合は、就労の場面及び就労以外の場面の両方の状況を考慮する。 ○　一般企業（障害者雇用制度による就労を除く）での就労の場合は、月収の状況だけでなく、就労の実態を	

<table>
<tr><th></th><th>知的障害</th><th>発達障害</th></tr>
<tr><td rowspan="3"></td><td colspan="2">総合的にみて判断する。

基本的に就労している事実だけで、障害年金の支給の要否が判断されることはありません。
この項目では、仕事の内容、職場での援助、他の従業員との意思疎通など、就業の実態を重視することが示されています。
特に職場での援助や配慮（☞ 101 ページ コラム③）の内容と、その合理的配慮がない場合に予想される状態を踏まえて判断されます。</td></tr>
<tr><td colspan="2">○　仕事の内容が専ら単純かつ反復的な業務であれば、それを考慮する。

＜具体的な内容例＞
一般企業で就労している場合（障害者雇用制度による就労を含む）でも、仕事の内容が保護的な環境下での専ら単純かつ反復的な業務であれば、２級の可能性を検討する。

（☞ 89 ページ 第３章２ 就労が不利に扱われないための対策）</td></tr>
<tr><td></td><td>○　執着が強く、臨機応変な対応が困難である等により常時の管理・指導が必要な場合は、それを考慮する。

＜具体的な内容例＞
一般企業で就労している場合（障害者雇用制度による就労を含む）でも、執着が強く、臨機応変な対応が困難で　あることなどにより、常時の管理・指導が必要な場合は、２級の可能性を検討する。</td></tr>
</table>

	知的障害	発達障害
		（☞ 89ページ 第３章「2　就労が不利に扱われないための対策」）
	○　仕事場での意思疎通の状況を考慮する。 ＜具体的な内容例＞ 　一般企業で就労している場合（障害者雇用制度による就労を含む）でも、他の従業員との意思疎通が困難で、かつ不適切な行動がみられることなどにより、常時の管理・指導が必要な場合は、２級の可能性を検討する。 **（☞ 89ページ 第３章２ 就労が不利に扱われないための対策）**	
❺その他	○「日常生活能力の程度」と「日常生活能力の判定」に齟齬があれば、それを考慮する。 ○「日常生活能力の判定」の平均が低い場合であっても、各障害の特性に応じて特定の項目に著しく偏りがあり、日常生活に大きな支障が生じていると考えられる場合は、その状況を考慮する。 　知的・発達障害の特性として、習慣化した行動は身につくものの、社会的適応への課題が挙げられます。 　そのため、「日常生活能力の判定」の合計点が低かったとしても、特定の項目に著しく偏りがあれば総合評価の対象となります。 　例えば、習慣的行動である（1）適切な食事、（2）身辺の清潔保持、（3）金銭管理と買い物、（4）通院や服薬は軽い判定（「できる」または「自発的に（おおむね）できるが時には助言や指導を必要とする」）になることがあります。 　一方で、社会的な適応力が必要な、（5）他人との意思伝達及び対人関係、（6）身辺の安全保持及び危機対応、（7）社会性、は重い判定（「助言や指導があればできる」または「助言や指導をしてもできない若しくは行わない」）になる傾向があります。	

<table>
<tr><th></th><th>知的障害</th><th>発達障害</th></tr>
<tr><td rowspan="8"></td><td>○　発育・養育歴、教育歴などについて、考慮する。</td><td>○　発育・養育歴、教育歴、専門機関による発達支援、発達障害自立訓練等の支援などについて、考慮する。</td></tr>
<tr><td colspan="2">特別支援教育またはそれに相当する支援の教育歴がある場合は、総合評価の対象となります。
特別支援教育またはそれに相当する支援の教育歴がない場合でも、幼少期の状況（不適応行動、いじめ問題、学習の遅れなど）を踏まえて判断されます。</td></tr>
<tr><td>○　療育手帳の有無や区分を考慮する。</td><td>○　知的障害を伴う発達障害の場合、発達障害の症状も勘案して療育手帳を考慮する。</td></tr>
<tr><td colspan="2">療育手帳の判定区分が中度以上（IQ50 未満）は、1 級または 2 級の可能性が検討されます。
区分判定が軽度（IQ50 以上）でも、不適応行動等により日常生活に著しい制限がある場合は総合評価の対象となります。</td></tr>
<tr><td>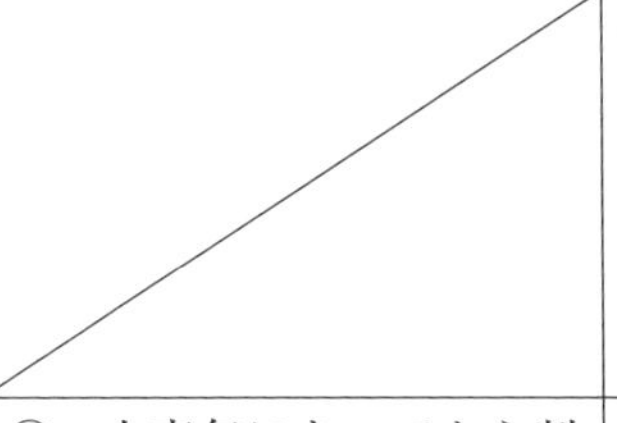</td><td>○　知的障害を伴わない発達障害は、社会的行動や意思疎通能力の障害が顕著であれば、それを考慮する。
（☞ **54 ページ 本章 3 発達障害の認定要領（2）**）</td></tr>
<tr><td>○　中高年になってから判明し請求する知的障害については、幼少期の状況を考慮する。</td><td>○　青年期以降に判明した発達障害については、幼少期の状況、特別支援教育またはそれに相当する支援の教育歴を考慮する。</td></tr>
<tr><td colspan="2">知的・発達障害は生まれつきのものなので、診断が大人になってからであっても、その特徴や症状は幼少期から現れていたと考えられます。
そのため、幼少期の状況（不適応行動、いじめ問題、学習の遅れなど）を踏まえて判断されます。</td></tr>
</table>

5　知的障害や発達障害と他の精神疾患が併存する場合の考え方、対応のしかた

精神疾患には、適切な医療や福祉サービスを提供するため、診断名と診断基準が定められています。医師は、診断基準に沿って診断名を付けますが、「知的障害と広汎性発達障害」や「知的障害と注意欠陥多動性障害」など知的障害と発達障害の両方に該当することがあります。また、「広汎性発達障害とうつ病」など二次障害による他の精神疾患との組合せとなる場合もあります。

そうなると、「初診日はいつになる？」「より重く判断される障害は？」などと疑問に思うかもしれません。

ここでは、障害年金審査における複数の精神疾患が併存する場合の考え方と対応のしかたを説明します。

①　初診日の考え方

具体的な取扱いについては、厚生労働省の疑義照会「知的障害や発達障害と他の精神疾患が併存している場合の取扱い（情報提供）【給付情 2011-121】」で例示されています。

わかりにくい言い回しなどがあるので、解説を付け加えています。

知的障害や発達障害と他の精神疾患を併発しているケースについては、障害の特質性から初診日及び障害状態の認定契機の（原文ママ）ついて次のとおり整理するが、認定に当たっては、これらを目安に発病の経過や症状から総合的に判断する。

（1）うつ病又は統合失調症と診断されていた者に後から発達障害が判明するケースについては、そのほとんどが診断名の変更であり、あらたな疾病が発症したものではないことから別疾病とせず「同一疾病」として扱う。

【うつ病・統合失調症　＋　発達障害】
診断名が変わっただけという判断となり、初診日はうつ病・統合失調症の診断に関連する初診日のままとなります。

（2）発達障害と診断された者に後からうつ病や神経症で精神病様態を併発した場合は、うつ病や精神病様態は、発達障害が起因して発症したものとの考えが一般的であることから「同一疾病」として扱う。

【発達障害　＋　うつ病や神経症（精神病様態）】
うつ病や神経症（精神病様態）（☞ **44 ページ コラム①**）は、発達障害の二次障害と考えられるため、初診日は発達障害の初診日のままとなります。

（3）　知的障害と発達障害は、いずれも20歳前に発症するものとされているので、知的障害と判断されたが障害年金の受給に至らない程度の者に後から発達障害が診断され障害等級に該当する場合は、原則「同一疾病」として扱う。

例えば、知的障害は3級程度であった者が社会生活に適応できず、発達障害の症状が顕著になった場合などは「同一疾病」とし、事後重症扱いとする。

なお、知的障害を伴わない者や3級不該当程度の知的障害がある者については、発達障害の症状により、はじめて診療を受けた日を初診とし、「別疾病」として扱う。

【知的障害（2級不該当）　＋　発達障害】
知的障害と発達障害があり、認定日時点（20歳到達日）では2級不該当で障害年金の対象とはならなかったものの、発達障害により就労や日常生活がより難しくなることがあります。この場合の請求方法は、事後重症請求（☞ **24 ページ 第1章1⑦**）となり、初診日は知的障害の初診日（出生日）のままです。
ただし、知的障害があっても軽度（３級不該当程度）である場合には、発達障害に関連した受診の初診日が、障害年金請求の初診日になります。この場合、初診日が厚生年金加入期間であれば、障害厚生年金を請求することができます。

（４）　知的障害と診断された者に後からうつ病が発症した場合は、知的障害が起因して発症したという考え方が一般的であることから「同一疾病」とする。

【知的障害　＋　うつ病】
（2）と同様に、うつ病の発症原因は知的障害と考えられるため、初診日は知的障害の初診日（出生日）のままとなります。
ただし、知的障害が軽度（３級不該当程度）であれば、うつ病の症状により、はじめて診療を受けた日を初診とし、「別疾病」として扱われることがあります。
例えば、知的障害が軽度のため幼少期には指摘されず、社会人になり仕事が覚えられず引け目を感じたり、人間関係に悩んだりしてうつ病を発症した場合です。その後、うつ病の治療経過ではじめて軽度知的障害と診断されたとします。この場合、（3）の「３級不該当程度の知的障害がある者」と同様にうつ病の関連する初診日が厚生年金加入期間であれば、障害厚生年金を請求することができます。

（５）　知的障害と診断された者に後から神経症で精神病様態を併発した場合は「別疾病」とする。
ただし、「統合失調症（Ｆ２）」の病態を示している場合は、統合失調症が併発した場合として取り扱い、「そううつ病（気分（感情）障害）（Ｆ３）」の病態を示している場合は、うつ病が併発した場合として取り扱う。

【知的障害　＋　神経症（精神病様態）】
別疾病となるため、それぞれの初診日（知的障害は出生日）を確認して請求方法を検討する必要があります。
ただし、神経症の精神病様態（☞ **44ページ コラム①**）が統合失調症であれば、（6）と同様に取り扱い、双極性障害（躁うつ病）であれば、（4）と同様に扱われます。

（6）　発達障害や知的障害である者に後から統合失調症が発症することは、極めて少ないとされていることから原則「別疾病」とする。
　ただし、「同一疾病」と考えられるケースとしては、発達障害や知的障害の症状の中には、稀に統合失調症の様態を呈すものもあり、このような症状があると作成医が統合失調症の診断名を発達障害や知的障害の傷病名に付してくることがある。したがって、このような場合は、「同一疾病」とする。

【発達障害・知的障害　＋　統合失調症】
　基本的に別疾病となり、それぞれの初診日（知的障害は出生日）を確認して請求方法を検討する必要があります。
　ただし、医師が発達障害・知的障害と同一傷病であるとの診断書を作成した場合などは、同一傷病として扱われる可能性があります。

（参考）発達障害は、ＩＣＤ－10では、Ｆ80～Ｆ89、Ｆ90～Ｆ98にあたる。

《参考》発達障害や知的障害と精神疾患が併発する場合の一例

前発疾病	後発疾病	判　定
発達障害	うつ病	同一疾病
発達障害	神経症で精神病様態	〃
うつ病 統合失調症	発達障害	診断名の変更
知的障害（軽度）	発達障害	同一疾患
知的障害	うつ病	〃
知的障害	神経症で精神病様態	別疾患
知的障害 発達障害	統合失調症	前発疾患の病態として出現している場合は同一疾患（確認が必要）
知的障害 発達障害	その他精神疾患	別疾患

②　等級判定について

認定要領には、「知的障害（発達障害）とその他認定の対象となる精神疾患が併存しているときは、併合（加重）認定の取扱いは行わず、諸症状を総合的に判断して認定する。」とあります。

この「総合的に判断」のヒントは、ガイドライン〔表2〕総合評価の際に考慮すべき要素の例（☞ 67ページ）にあります。

ここでは、知的障害や発達障害と他の精神疾患が併存する場合の等級判定への影響について、ガイドラインと筆者の経験を交えて説明します。

（ア）　知的障害と発達障害

知的障害と発達障害は合併することが多く、どちらも生まれつきみられる脳の働き方に違いがあるという共通点があります。

審査において、知的障害と発達障害のどちらに重きを置くかは、知能指数（IQ）が最重度～中度（～49）と軽度（50～）で傾向が異なります。

❶　知能指数（IQ）が最重度（～19）、重度（20～34）、中度（35～49）の場合

ガイドライン〔表1〕障害等級の目安（☞ 61ページ）の「2級」または（判定平均）2.5以上3.0未満の「2級または3級」であれば、知的障害による日常生活上の支援の必要度で判断される傾向があります。

（判定平均）2.0以上2.5未満の「2級または3級」またはそれよりも軽い判定の場合は❷をご参照ください。

❷　知能指数（IQ）が軽度（50～）の場合

日常生活能力に加え、発達障害による社会的適応への課題や不適応行動（☞ 80ページ コラム②）の有無がポイントになりま

す。

医師が作成する診断書に具体的なエピソードを盛り込んでもらうようにしましょう。

（イ）　知的障害または発達障害と《参考》の一例（☞77ページ）に記載されている疾病

知的・発達障害、特に広汎性発達障害、注意欠陥多動性障害は、うつ病などの二次障害を伴うことが多いとされています。

等級判定に際しては、日常生活に著しい制限を加えている比重の大きいほうを中心に判断されます。

二次障害のうつ病による症状（気分の落ち込み、興味・関心・喜びの喪失、思考力や集中力の減退など）がより重い場合は、その症状に関しても診断書に詳しく記載してもらいましょう。

（ウ）　知的障害または発達障害と神経症（精神病様態でない）など

精神病様態でない神経症やパーソナリティ障害（人格障害）は、障害年金の対象外とされています（☞**44ページ コラム①**）。

知的・発達障害と神経症など障害年金の対象外となる疾病が併存する場合は、診断書の内容に注意が必要です。例えば、診断書の傷病名に発達障害と不安障害が併記され、症状が過剰な不安、心配、緊張など不安障害によるものが中心の場合です。不安障害のベースに発達障害があっても、「日常生活に著しい制限を加えているのは不安障害によるもの」と判断され、不支給となる可能性があります。

そうならないよう、不安障害など神経症の背後にある発達障害による症状や困りごとについても診断書に詳しく記載してもらうようにしましょう。

コラム②

障害年金の審査で重視される不適応行動とは

私たちは普段の生活の中で、意識・無意識を問わず、自分以外の人との摩擦をできるだけ少なくし、対人関係を円滑にする振る舞い（適応行動）をしています。

発達障害、特に自閉スペクトラム症の特性である対人関係の困難さや強いこだわりは、ストレスや周りとの不適応を引き起こしやすい傾向があるといわれています。それがエスカレートすると、社会適応を困難にする行動の問題に発展してしまうことがあります。

不適応行動とは、「他人との関係や社会生活上のルール、公共の場でのマナー等にふさわしくない行動」を指し、頻繁に起これば強度行動障害の状態にあると判断されます。

厚生労働省が医師向けに公開している「障害年金の診断書（精神の障害用）記載要領」には、不適応行動として以下の行為が例示されています。

- 自分の身体を傷つける行為
- 他人や物に危害を及ぼす行為
- 周囲の人に恐怖や強い不安を与える行為（迷惑行為や突発的な外出など）
- 著しいパニックや興奮、こだわり等の不安定な行動（自分でコントロールできない行為で、頻発して日常生活に支障が生じるもの）

この他、食事関係（拒食、異食、偏食）に問題を抱える場合もあります。

発達障害で障害年金を請求する際は、不適応行動の頻度や度合いも総合評価の対象になります。思い当たる場合は、具体的事例を診断書、病歴・就労状況等申立書などに反映させるようにしましょう。

ちなみに、発達障害の認定要領（☞ **54 ページ**）2 級の例示に、「社会性やコミュニケーション能力が乏しく、かつ、不適応な行動がみられるため、日常生活への適応にあたって援助が必要なもの」とあります。文字通りに受け止めると、「社会性やコミュニケーション能力の欠如」と「不適応行動」の両方を要件としています。

しかし、実際には記載要領に例示されている具体的行為（他人や物に危害を及ぼす等）がなくても 2 級に認定されています。審査では「社会性やコミュニケーション能力の欠如」により人間関係がうまく築けないこと、それ自体も「不適応行動」と広く解釈していると考えられます。

第3章

就労・就学は審査に影響するの？

1　働いていても年金は受け取れる

精神の障害は、血液検査や画像診断からは判断が難しいため、障害年金の等級判定は「家事や身のまわりのことなど日常生活場面における援助の必要度（日常生活能力）」を評価軸としています。

障害年金請求に必要な診断書は障害別に8種類ありますが、就労状況の記載項目があるのは「精神の障害」のみです。働くことも日常生活の一部なので、就労状況も総合評価の対象としています。

そうすると「就労している＝日常生活は自立している」と判断され障害年金は不支給となってしまうのではないかと疑問を持つかもしれません。しかし、知的・発達障害の方が「障害者就労」を継続していても、就労の事実のみを理由に不支給になるケースは障害基礎年金の審査を東京に集約した平成29年4月から少なくなってきています。

①　障害者就労を織り込んだ認定要領

知的・発達障害の認定要領（☞ 53ページ［第2章　2］知的障害の（5）、☞ 57ページ［第2章　3］発達障害の（6））に以下の記載があります（下線は筆者による）。

> <u>就労支援施設や小規模作業所などに参加する者に限らず、雇用契約により一般就労をしている者であっても、援助や配慮のもとで労働に従事している。</u>
>
> したがって、労働に従事していることをもって、直ちに日常生活能力が向上したものと捉えず、現に労働に従事している者につ

いては、その療養状況を考慮するとともに、仕事の種類、内容、就労状況、仕事場で受けている援助の内容、他の従業員との意思疎通の状況等を十分確認したうえで日常生活能力を判断すること。

下線部分で「(知的・発達障害は) どのような働き方であっても、援助や配慮のもとで労働 (障害者就労) に従事している。」と言い切っています。この文言は統合失調症やうつ病等、他の精神障害の認定要領にはありません。

このことから、知的・発達障害の認定要領は「障害者就労」に従事していることを前提として策定されたと考えられます。

②　障害者就労の形態はさまざま

ひと口に「障害者就労」といっても、その種類は一つではありません。

大きく分けると、(ア) 障害者雇用率制度 (障害者雇用促進法)、(イ) 就労系障害福祉サービス (障害者総合支援法)、(ウ) その他 (家業など) の3つがあります。

(ア)　障害者雇用率制度 (障害者雇用促進法)

障害者雇用と聞くと、一般企業 (特例子会社を含む) のいわゆる障害者枠で採用された従業員をイメージするかもしれません。ところが、障害者雇用促進法で定める障害者雇用率制度の対象範囲は広く、身体障害者手帳、療育手帳、精神障害者保健福祉手帳の所有者全員になります。

●　障害者雇用率制度における最近の動向

国が推し進める障害者雇用率制度により、民間企業等で就労する障害者は増加傾向にあります。

障害者雇用率制度とは、従業員40人以上の民間企業や国、地方公共団体は、従業員の一定割合（法定雇用率）以上の障害者を雇用しなければならないとする制度のことです。

義務化された昭和51年（1976年）の法定雇用率は1.57％でしたが、段階的に引き上げられ、令和６年度の法定雇用率は2.5％（民間企業）となっています。

法定雇用率の導入以降、実雇用率と雇用されている障害者は着実に増加しており、令和４年の雇用障害者数は613,958人と、過去最高を更新しました。

障害種別での雇用障害者数（**図表３－１**）を見ると、身体障害者（「身体障害者手帳」所持者）が最も多く357,767.5人、次いで多いのが知的障害者（「療育手帳」所持者）の146,426.0人、そして精神障害者（「精神障害者保健福祉手帳」所持者）は109,764.5

図表３－１　実雇用率と雇用されている障害者の数の推移

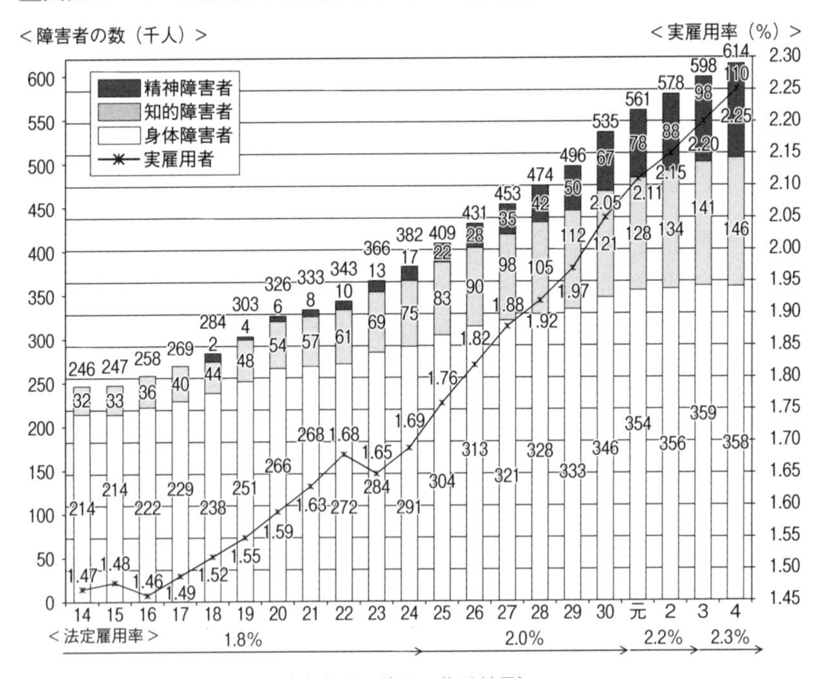

（出典：厚生労働、令和４年 障害者雇用状況の集計結果）

人です。

内閣府が発表している令和４年版障害者白書の各障害種別の総数に対して、雇用障害者数をあてはめた雇用障害者率は以下になります（**図表３－２**）。

■図表３－２　雇用障害者率

障害種別	年齢区分	在宅者数	雇用障害者数	雇用障害者率
身体障害	18歳～64歳	101.3万人	35.7万人	35.2%
知的障害	18歳～64歳	58万人	14.6万人	25.1%
精神障害	25歳～64歳	206万人	10.9万人	5.2%

●「就労していると不支給になる」は誤解

上の表（**図表３－２**）によれば、知的障害の雇用障害者率は25.1％なのでおよそ４人に１人が就労していることになります。

厚生労働省が発表した「平成17年度知的障害児（者）基礎調査結果の概要」によると、知的障害のある人のうち、「中度」「軽度」は49.0％となっています。一般企業（特例子会社を含む）で働く知的障害のある人の大部分が「中度」「軽度」と考えられることから、「中度」「軽度」のうち２人に１人が就労していることになります。

障害者雇用率制度で就労している知的障害のある人のうち、どれくらいが障害年金を受給しているかを示すデータはありませんが、その大部分の方が受給している印象があります。障害者雇用率制度で就労している発達障害のある人（知的障害を伴わない）に関しても、知的障害と同じく、かなり多くの方が障害年金を受給しています。

このことから、障害者雇用率制度で就労している知的・発達障害者の障害年金審査に関して、「就労」だけを理由として不支給になることは少なくなっているといえそうです。

（イ）就労系障害福祉サービス（障害者総合支援法）

就労系障害福祉サービスには、就労移行支援、就労継続支援Ａ型・Ｂ型があり、いずれも障害者の就労を支援するサービスです。しかし、目的や対象、雇用契約、工賃（賃金）の有無など、それぞれに違いがあります。

就労系障害福祉サービスは、一般企業で働くための訓練、または一般企業で働くことが困難な方が働く場なので、「就労」とみなされません。事業所へ通所していることのみを理由に、障害年金が不支給になることは基本的にありません。

（ウ）その他（家業など）

家族が経営をしている商店を手伝っている場合や、従業員が一定数以下のため障害者雇用率制度の適用外となる事業所で就労している場合などが考えられます。

これらの働き方でも、相当程度の援助や合理的配慮を受けて就労を継続している場合は、障害年金を受給することができます。

2　就労が不利に扱われないための対策

就労の事実だけを理由として不支給になることは少なくなったものの、複合的な要因の一つになることがあります。例えば、等級判定ガイドライン〔表1〕障害等級の目安（☞ **61ページ 第2章4 等級判定ガイドラインとは**）が「2級または3級」のケースです。どちらに判定されても不思議ではない、いわゆるボーダーラインでは就労に着目され、3級（不支給）と裁定されてしまうことがあります。

ここでは、診断書内容がボーダーラインだったとしても、就労の事実を不利に扱われないための対策を紹介します。

①　審査で重視されるポイント

最初に、等級判定ガイドライン〔表2〕総合評価の際に考慮すべき要素の例の❹就労状況（☞ **70ページ**）知的・発達障害の＜具体的な内容例＞を確認します（**図表3－3**。下線は筆者による）。

■図表3－3　重視されるポイントとキーフレーズ

	考慮すべき要素	具体的な内容例
知的障害	○ 仕事の内容が専ら単純かつ反復的な業務であれば、それを考慮する。	・一般企業で就労している場合（障害者雇用制度による就労を含む）でも、仕事の内容が保護的な環境下での専ら単純かつ反復的な業務であれば、2級の可能性を検討する。

	考慮すべき要素	具体的な内容例
	○ 仕事場での意思疎通の状況を考慮する。	・一般企業で就労している場合（障害者雇用制度による就労を含む）でも、他の従業員との意思疎通が困難で、かつ不適切な行動がみられることなどにより、常時の管理・指導が必要な場合は、２級の可能性を検討する。
発達障害	○ 仕事の内容が専ら単純かつ反復的な業務であれば、それを考慮する。	・一般企業で就労している場合（障害者雇用制度による就労を含む）でも、仕事の内容が保護的な環境下での専ら単純かつ反復的な業務であれば、２級の可能性を検討する。
	○ 執着が強く、臨機応変な対応が困難である等により常時の管理・指導が必要な場合は、それを考慮する。	・一般企業で就労している場合（障害者雇用制度による就労を含む）でも、執着が強く、臨機応変な対応が困難であることなどにより、常時の管理・指導が必要な場合は、２級の可能性を検討する。
	○ 仕事場での意思疎通の状況を考慮する。	・一般企業で就労している場合（障害者雇用制度による就労を含む）でも、他の従業員との意思疎通が困難で、かつ不適切な行動がみられることなどにより、常時の管理・指導が必要な場合は、２級の可能性を検討する。

特に下線部分は重視されるキーフレーズです。あてはまれば、積極的に審査側に伝えるようにします。伝える方法については基本編、発展編に分けて説明します。

<審査で重視されるキーフレーズのまとめ>

（▲は重要、◎は最重要）

◎　**保護的な環境下での専ら単純かつ反復的な業務**
「保護的な環境下」とは合理的配慮（☞ **101 ページ コラム③**）の提供を指し、「単純かつ反復的な業務」とは、例えば物流倉庫の仕分け、量販店の品出し、商業施設の清掃など手順がはっきりしている作業です。

◎　**他の従業員との意思疎通が困難で、かつ不適切な行動**
例 1：意味を取り違えたり、意見を一方的に述べたりするなど会話のキャッチボールが難しい。ときに、思ったことを上手く説明することができず、手が出てしまうことがある。
例 2：自分のやり方が第一優先となっているので、指導員が改善点を説明しても聞き入れず激昂してしまう。

▲　**執着が強く、臨機応変な対応が困難（発達障害のみ）**
作業の手順や道具に強い執着（こだわり）があり、手順や道具が変更になると、不安や焦りから不安定になり作業ができなくなる。

②　対策（基本編）

医師が作成する診断書の「エ　現症時の就労状況」に記載してもらうだけなのでシンプルかつ手間がかからない方法です。

医師へ診断書作成を依頼する際には、医師の負担を軽くするため、あらかじめ情報をまとめたメモを提供したほうがよいでしょう。

「エ　現症時の就労状況」の参考情報

直接的または間接的な表現（下線部分）でキーフレーズを盛り込みます。

○勤務先：一般企業
○雇用体系：障害者雇用
○勤続年数：１年７か月
○仕事の頻度：週に５日
○ひと月の給与：約 13 万円 ＜ おおよその手取り額
○仕事の内容
　軽作業（自動車部品工場で製品の配送先仕分け、梱包など単純かつ反復的な業務）
○仕事上での援助の状況や意思疎通の状況
　・勤務時間の変化による対応が難しいため、平日の昼勤務に限定してもらっている。
　・言葉だけでは意思疎通が難しく、図などを用いて視覚的に理解できるよう工夫してもらっている。
　・最初は指示どおりに作業をするが、しばらくすると自分流のやり方にアレンジする。指摘すると投げやりな態度をとる。

診断書のスペースの関係で書ききれなかったエピソードがあれば、病歴・就労状況等申立書に記載するようにしましょう。

③　対策（発展編）

就労先の上司または外部の支援機関（卒業校によるフォローアップを含む）が関わっている場合は、その支援者に意見書を作成してもらう方法です。

ただし、多忙な上司や支援者など第三者の協力が必須となり、負担になる可能性もあります。そのため、一度不支給となり、不服申立や再請求を予定している場合には検討してみるとよいでしょう。

なお、障害年金において障害状態を審査する際、医師の作成する診断書が最重視されるのは、医学の専門家（医師）が客観的な立場で作成した意見書（診断書）だからです。上司や支援者は本人と就労現場で関わっており、本人の特性や会社が提供している合理的配慮も理解しているはずです。そのような立場（上司や支援者）の意見書は客観性と具体性のバランスが取れており、診断書に準じたものとして重視される可能性が高いです。

意見者（上司や支援者）の同意が得られれば、あらかじめ口頭で意見を聴取して、キーフレーズを念頭に置いて作成した草案を渡しておくとスムーズです。

■図表3－4　意見書の草案例

就労状況に関する第三者の意見書

私（意見者）は、障害年金の請求者○○○さんの就労状況に関して、以下の通り意見を述べます。
意見者である私、△△△は、株式会社○○（以下、当社）の■■部部長を務めており、請求者である○○○さんの直属の上司にあたります。

意見者と請求者の関係性を明確にすることで「第三者の立場から観察し、考えた客観的意見」であることを印象付けています。

1　就業形態、業務内容について
○○○さんは令和○年4月1日に入社（障害者雇用）、1日7時間、週5日勤務です。本人の障害特性を考慮し、青果の袋詰めや品出し、清掃などの単純かつ反復的な作業を担当しています。

障害者雇用のフルタイムであること、担当の作業内容が記載されており「単純かつ反復的な業務」であることがわかります。

2　当社が提供している合理的配慮について
・スタッフ5名につき管理者1名が常時配置されており、いつでも助言や支援ができる体制となっています。
・コンディションの波が大きいことやワーキングメモリーの弱さがあるため、管理者の声掛けを他のスタッフよりも頻繁かつ丁寧に行っています。

合理的配慮の具体的内容が記載されており「保護的な環境下」であることがわかります。

3　意思疎通、不適切な行動、こだわりや臨機応変さに欠ける行動について
・業務指示に対し「わかりました」と回答するも内容を理解していないことが多々あります。周囲としては何に対してわかっているのか不明で、意思の疎通に課題があると感じています。

・他のスタッフに自分の考えを押し付けるなど、自分本位で感情的な面がみられます。管理者に反発することもあり、良好な対人関係の構築には課題があります。
・注意を受けたことでも、納得ができないと直さないこだわりが強いところがあります。事故につながる危険性もあるため、作業から一旦外し、就業時間後に面談を通して理解する時間を設けたことがありました。

審査で重視されるキーフレーズ「他の従業員との意思疎通が困難で、かつ不適切な行動」「執着が強く、臨機応変な対応が困難」に相当するエピソードが盛り込まれています。

結論として、○○○さんが障害を抱えながらも就労を継続できているのは、本人の努力はもちろんですが、当社が本人の障害特性に応じた配慮や指導を行っていることも大きいと思います。仮にこのような環境下でない場合、業務の習得や遂行は難しく、本人の就労状況に支障が生じる可能性も十分にあり得ると認識しています。
当社としては、本人が今後も安定して就労を継続できるよう環境整備に努めていく方針です。

請求者には課題が多く「会社が提供する合理的配慮なしに就労継続は困難」と結論づけます。

令和○年○月○日
株式会社○○■■部
部長 △△△

3　就学・教育歴は審査に影響するか

①　高校卒業後の進路状況

下の表は、知的障害のある方の特別支援学校高等部卒業後の進路を示したものです。

■図表3－5　特別支援学校高等部（本科）卒業後の状況

（国・公・私立計）

区　分	卒業者	進学者	教育訓練機関等入学者	就職者	社会福祉施設等入所・通所者	その他
知的障害	18,668人	76人 (0.4%)	241人 (1.3%)	6,338人 (34.0%)	11,267人 (60.4%)	746人 (4.0%)

（出典：文部科学省、学校基本統計　卒業者の進路状況（平成30年3月卒業者））

※進学者は、大学（学部）、短期大学（本科）、大学・短期大学の通信教育部および放送大学（全科履修生）、大学・短期大学（別科）、高等学校（専攻科）および特別支援学校高等部（専攻科）へ進学した者の計。

※教育訓練機関等は、専修学校（専門課程）進学者、専修学校（一般課程）等入学者および公共職業能力開発施設等入学者の計。

※社会福祉施設等入所・通所者は、児童福祉施設、障害者支援施設等および医療機関の計。

※その他は、家事手伝いをしている者、外国の学校に入学した者、進路が未定であることが明らかな者および不詳・死亡の者等の計。

知的障害のある方のうち、進学者と教育訓練機関等入学者をあわせた1.7%が進学しています。発達障害のある方についてのデータはありませんが、知的障害の状況と同等かそれよりも高いと思われます。

障害認定日（20歳到達日）に（短期）大学や専門学校に在籍しているケースでは、障害年金請求にどの程度影響するのか心配になるのではないでしょうか。

②　就学中の障害年金請求

一般的に（短期）大学は調査、研究を通じて思考力・判断力・表現力を高め、専門学校はその道のプロを育成する場であると考えられます。その点、反復的な作業の就労よりも手厚い支援が必要です。そのため、就労と同じく就学状況も「合理的配慮の度合い」と「他人との意思疎通」がポイントとなります。ここでも対策を基本編、発展編に分けて説明します。

③　対策（基本編）

診断書「イ　左記の状態について、その程度・症状・処方薬等を具体的に記載してください。」に就学状況を盛り込んでもらうため、あらかじめ情報をまとめたメモを準備します。

就学状況について

「合理的配慮の度合い」と「他人との意思疎通」に関する情報を記載します。

○学校名・専攻：○○専門学校　観光学科
○学年：2年（2年制）
○通学の頻度：週に5日
○履修内容
交通（鉄道）業界、旅行業界の基礎的知識、技能およびビジネスマナー等の習得
○学校での援助の状況や意思疎通の状況
・講師の話に注意を向け続けることが難しく、授業中に理解することができないため、放課後にマンツーマンで指導してもらっている。それでも教科によっては、理解するまでには至らない。
・翌日に必要なテキストなどを口頭だけで伝えると忘れてしまうため、大事なことは文字にして伝えてもらっている。
・コミュニケーションが苦手で、他学生に自ら話しかけることはできない。

診断書のスペースの関係で書ききれなかったエピソードがあれ

ば、病歴・就労状況等申立書に記載するようにしましょう。

④　対策（発展編）

学校（大学）の担任講師やカウンセラー等に意見書を作成してもらう方法です。

ただし、課題点が中心の構成なので、意見者が「ネガティブなことをばかりを書いてよいのだろうか」「本人が知ったら傷つくのでは」と心理的な抵抗感を抱くかもしれません。そのため、一度不支給となり、不服申立や再請求を予定している場合のみ検討することをお勧めします。

■図表３－６　意見書草案例

就学状況に関する第三者の意見書

私（意見者）は、障害年金の請求者〇〇〇さんの就学状況に関して、以下の通り意見を述べます。
意見者である私、△△△は、〇〇専門学校アニメーション科（以下、当校）の教務主任を務めており、請求者である〇〇〇さんの担任にあたります。

意見者と請求者の関係性を明確にすることで「第三者の立場から観察し、考えた客観的意見」であることを印象付けています。

1　履修科目について
当校は、アニメーションの専門学校（2年制）で、〇〇〇さんは令和〇年4月入学（現在2年生）、今年度はアニメ制作が中心のカリキュラム構成（週3日6時間／日）です。クラスの他学生には理解力はゆっくりであると伝えています。

履修内容や通学日数が記載されています。また、周囲の理解があることもわかります。

2　意見者が配慮していること
・話す言葉が幼く（小学生程度）、理解力も低いので、ゆっくり会話するよう心掛けています。

・通常の会話でも脈略がなく、自分の言いたいことを整理して話すことができないため、こちらからの問い掛けに「はい」「いいえ」で回答させることで、会話を整理しています。
・週1回個別面談を実施し、学習面の理解度を確認し、復習の時間に充てています。

具体的内容が記載されており「合理的配慮の度合い」がわかります。

3　意思疎通、不適切な行動について
・他人が自分のことをどう思っているかを感じ取ることができないため、空気を読まずに話しかけたり、全く関係のない会話をいきなりしたりすることがあります。
・入学当初は、授業についていくことができず、癇癪を起すことが度々ありました。その際、「できることを少しずつ増やしていこう」と話し、人と違うペースでも問題ないと指導してきました。
・特に興味の薄い科目では、講義中に居眠りをすることがあります。

「他人との意思疎通」に関する課題点や「不適応行動」が記載されています。

4　就職に向けて考慮していること
当初、他の学生と同様に就職活動を行うも、不採用が続きました。そのため、障害者職業訓練能力開発校にて就職に関する準備支援を受け、本人の特性に合う単純かつ反復的な業務を募集（障害者雇用）している会社を中心に説明会に参加させております。

就職活動に関して専門の支援機関の協力が必要な状況であることがわかります。

反復作業で身につく科目については、時間を掛ければある程度の理解をすることができます。一方で、応用力、必要に応じた質問などが不十分であることに加え、対人面においても円滑な意思疎通が難しい場面があります。就労についても、本人の障害特性に理解のある職場が必須と思われます。

卒業後の進路について、職業適性の意見を述べています。

令和○年○月○日
○○専門学校アニメーション制作科
教務主任 △△△

⑤　特別支援教育歴がなくても受給できるケース

等級判定ガイドライン〔表2〕総合評価の際に考慮すべき要素の例、❺その他（☞72ページ）の知的障害には「発育・養育歴、教育歴などについて考慮する。」と記載されています。

さらに、具体的な内容例として「特別支援教育、またはそれに相当する支援の教育歴がある場合は、2級の可能性を検討する」とあります。なお、「相当する支援の教育歴」とは、サポート校やインクルーシブ教育システム（障害のある者と障害のない者が共に学ぶしくみ）を取り入れた一般校を指します。

では、障害年金受給には特別支援教育（相当）の教育歴が必須なのかというと、必ずしも必須事項ではありません。幼少期から知的障害の特徴や適応行動の困難性が見られるものの、周囲の目が行き届かず特別支援教育を受けることができない場合もあります。

筆者が代理し、知的障害で障害基礎年金請求した中には、次の事例のように特別支援教育歴がないケースもあります。

事例1

40代男性。実家で母と2人暮らし。

中学（普通級）卒業後、製造業の会社に一般就職したが、作業手順をなかなか覚えられず数年かかった。同じ作業を30年間続けたものの会社が倒産。

兄が帰省した際、倒産の事実と無職になってから半年以上も経過しているにもかかわらず転職活動や失業給付の手続きをしていないことを知った。兄が本人をハローワークに連れて行き経緯を話すと、療育手帳取得の可能性と専門医の受診を勧められた。紹介された専門医に診てもらい、心理検査の結果、知的障害と診断され療育手帳（中等度）を交付された。

その後、障害基礎年金（事後重症）請求を行い、2級に認定された。

事例2

30代女性。夫と子供の3人暮らし。
小中は普通級、授業についていくことができず成績は下位であったが、学力試験のない私立高に進学。卒業後は数か所でアルバイトに就くも仕事が覚えられず長く続かなかった。20代後半で結婚し出産、子供の世話が全くできずに困っていたが、本人としては皆がそうであり自分はいたって普通であると思っていた。
3歳時健診の際、育て難さのことを話すと子供が発達障害である可能性を指摘された。医師から根拠となる行動特性を聞いていると、母親である自分にもあてはまることが多かった。医師に勧められ心理検査を受けると、軽度知的障害、発達障害（ADHD）と診断された。障害基礎年金（事後重症）請求を行い、2級に認定された。

コラム③

知的・発達障害の方の就労場面と合理的配慮

就労中の方が障害年金を請求する際、事業者による合理的配慮の提供度合いがポイントになります。

なお、事業者は改正障害者雇用促進法（平成28年4月施行）により、障害者に対する差別の禁止および合理的配慮の提供が義務付けられています。合理的配慮とは、障害のある方が障害のない方と平等に人権を享受し行使できるよう、一人ひとりの特徴や場面に応じて発生する障害・困難さを取り除くための、個別の調整や変更のことです。概念として理解しても、就労の場面で提供される具体的な合理的配慮とはどのようなものでしょうか。

筆者が就労中の知的・発達障害の方の障害年金請求を代理する際、就労先事業者へ合理的配慮などについてヒアリングを行っています。厚生労働省が公表している指針事例集から、筆者がヒアリングで頻繁に耳にする事例をピックアップしてみました。

<担当のあり方>

・本人の混乱を避けるため、指示や相談対応を行う者を限定している（他部署の業務指示であっても必ず担当者を通すようにしている）。

・業務指導を行う者（本人の上司等）と相談対応を行う者（総務部等）を分けている。

<指導・相談の仕方>

・定期的（朝礼・終礼時等）に面談や声かけを実施したり、連絡ノートを活用し、日々の報告・連絡・相談を受けている。

・マンツーマンにより、手本、見本を見せ、本人の理解度を確認しながら業務指示をしている。
・一つの指示を出し、終わったことを確認してから次の指示を出すなど、作業指示を一つずつ行うようにしている。
・当初は業務量を少なくし、本人の習熟度等を確認しながら徐々に増やしていく。
・作業手順や使用する器具、就業場所等について、図や写真等を活用して細かく説明した業務マニュアルを作成する。
・業務指示を明確にする。例えば、「午前中はこの仕事を行ってください」「終わらなくても、午後はこの仕事をしてください」と時間を区切って指示したり、「A が終了したら、次は B です」と業務の完結をもって区切ることや、「きれいになったら次のものを洗う」ではなく、「10 回洗ったら次のものを洗う」等、客観的に作業方法を指示する。

＜勤怠や休憩＞
・通勤ラッシュを避けるために始業時間を遅くしている。
・規定の休み時間以外にも休憩を認めている。
・体調、通院日等を考慮し、柔軟に休憩・休暇を認めている。

知的・発達障害の方が働く場面では、他にもさまざまな合理的配慮が提供されていることでしょう。障害年金請求に際しては、審査側に合理的配慮の程度がしっかり伝わるよう、具体的な事例を診断書、病歴・就労状況等申立書などに反映させることを心がけましょう。

第4章

年金請求のしかた

1　成育歴の書き出しから始める

成育歴（生育歴ともいいます）とは、文字どおり生まれてから今日まで育ってきた成長の歴史です。

知的障害、発達障害の障害年金請求では、診断書や病歴・就労状況等申立書に記載された成育歴も審査対象となります。家族や支援者がまとめた成育歴は、病歴・就労状況等申立書の土台となり、医師は診断書を作成する際の参考にします。

そのため、年金請求準備の第一歩は、成育歴を書き出すことから始めます。

まずは「就学前」「小学校」「中学・高校」「卒業後」の４つの時代に分け、それぞれの時代におけるエピソードを箇条書きで書き連ねます。

①　出生～就学前

出生前後の状況、始歩・発語の時期、乳幼児健診時の指摘の有無、幼稚園など集団活動での様子などを記載します。

- 平成○年○月○日、出生
- （1歳）ハイハイをすることはなく、なかなかお座りをしなかった。
- （1歳半）健診で「ママ」「パパ」などの単語が出ず、2歳頃まで経過を見たほうがよいと言われた。
- （2歳）保健師さんに様子を見てもらったところ、やはり遅れが見られるので保健センターの児童相談を勧められた。

・保健センターの医師に診てもらったが、まだ小さいため判断がつかないと言われた。
・(3歳〜）平成○年4月、△△幼稚園に入園。
・こだわりを見せるようになり、思い通りにならないとパニックを起こして泣き叫ぶことがあった。
・集団行動などで周囲についていけないことがあり、さまざまな場面で先生からのサポートを受けていた。
・市の療育センターで就学前診断を受け、自閉症の傾向があること、特に言語の点数が低いことの説明があった。
・支援学級を選択肢に入れることを勧められた。

②　小学校

普通級・支援級のどちらか、学校での様子（学習面・行動面・対人関係）を中心に記載します。特に不適応行動、学校側の配慮などがあれば加えたほうがよいでしょう。

・平成○年4月、□□小学校に入学。
・他の子と同じように勉強させたいという親の希望で普通級を選択。
・1年生のうちはどうにか頑張っていたが、2年生から授業の理解が周囲から大きく遅れるようになり、担任の先生に勧められ通級に通うようになった。
・遅れを取り戻そうと家庭でも勉強を教えたが、やはり理解は難しかった。
・宿題もほとんど親がやっているような状態だった。
・自分の興味のあることは何時間でも集中したが、興味のないことは全く集中できず、忘れ物も多かった。

・5年生のとき、普通級の先生から忘れ物の多さについて、クラスメイト全員のいるところで叱られ、普通級の児童からからかわれることが増えた。それ以降、学校に行くのを嫌がるようになった。
・普通級の先生、通級の先生と相談し、少人数で目の行き届く支援級に6年生から移った。
・支援級では他の児童の目を気にすることがなくなり、学校に行くことを嫌がることはなくなった。

③　中学校・高校

基本的には小学校と同じです。この時期に医療機関の受診があれば、中学校と高校を分けた構成にしてもよいでしょう。

（中学校）
・平成○年4月、□□中学校（支援級）に入学。
・学習面は小学校低学年用のドリルをやっていた。
・部活は支援級の担任が顧問を務める美術部で活動した。
・相手の気持ちや行動の背景にある気持ちを汲み取ること、表情などの非言語的な情報を読み取ること、相手と自分の関係性を捉えることなどが苦手だった。
・自分から人に話しかけても一方的になってしまい相手から聞き返されることが続き、自分から言葉を発することがなくなった。家族との会話であっても、1度聞き返すと「何でもない」と言って話すのをあきらめてしまうことが増えた。
・次第に物事の捉え方がネガティブになっていった。
・クラスでも部活でも他生徒との交友関係を築くことはほとんどできなかった。
・平成○年10月、療育手帳（B2）を取得。

（高校）
・平成○年4月、□□支援学校に入学。
・生活リズムを整えることが難しく、特に冬は毎日遅刻していた。
・忘れ物が多く、保護者宛のプリントをもらったことも忘れていることが多かった。
・平成○年9月、△△クリニックへ通院を開始。
・心理検査の結果、軽度知的障害、自閉スペクトラム症と診断された。
・令和○年10月、療育手帳の再判定結果（田中ビネー知能検査V）はIQ61～70。
・令和○年12月、職場実習を経て自動車部品会社（障害者雇用）から内定をもらった。

④　卒業後～現在

現在（20歳前後）の状況を中心に構成します。就労中の場合は、仕事の内容、会社から提供されている合理的配慮について記載します。最後に家族や支援者から見た日常・社会生活上の課題点を列挙します。

・令和○年4月、株式会社○○に入社（障害者雇用）。
・仕事内容は製品（自動車部品）の配送先仕分け、梱包など。

＜会社から提供されている合理的配慮について＞
・3交代制の職場だが、勤務時間の変化による対応が難しいため、特別に日勤に限定してもらっている。

・コミュニケーションに不安があるため、作業の指示確認や困ったときの相談先などは指導役の上司の方に一元化してもらっている。
・言葉だけでは意思疎通が難しく、図などを用いて視覚的に理解できるよう工夫してもらっている。

＜家族から見た課題点＞
・集中力が続かず、職場から「最初は指示通りに作業をするが、しばらくすると自分流のやり方にアレンジする。指摘すると投げやりな態度をとる」との指摘を受けた。
・気温に合わせた服装の選択ができず、親が着替えを準備している。しかし、どういう順番でそれぞれの服を着ればよいかわからないため、教えながら着替えを行っている。
・自分の好むものしか食べようとしないため、親がバランスを考えて食事を作り食べさせている。
・片付けが苦手で脱いだ服をその場に脱ぎ散らかしてしまう。そのため、靴下を片方失くすことが頻繁にある。
・ゴミをゴミ箱に捨てることもせず、机の上がゴミだらけでも平気でいる。
・現金の取扱いが苦手。買い物の際、小銭で足りる金額であっても紙幣を出してしまう。

2　心理検査結果を整理する

定期的に診てもらっているかかりつけ医（小児科、精神科）がいない場合の対策です。

心理検査結果には、知的な機能や性格傾向、対人関係の特徴が記されており、診断書を作成する際の資料とするため、医師から提出を求められる場合があります。

過去にウェクスラー式知能検査（WISC または WAIS）などの心理検査を受けている場合は、検査結果をコピーしておきましょう。検査結果を紛失してしまい再発行が難しい場合や、古い（5年以上）ものしかない場合は、新たに心理検査を受ける必要があります。ただし、検査に要する時間は2時間前後と長く、障害年金のためだけに心理検査を受けるのは負担になります。知的障害のみ（発達障害を伴わない）で診断書を作成してもらう場合、知能指数（IQ）がわかれば十分な場合があります。そのような場合は、新たに心理検査を受ける代わりに療育手帳の判定結果（**判定証明書**）を取得することをお勧めします。

○　判定証明書の取得方法

判定証明書は、療育手帳の（再）交付時に実施した知能検査の結果が記載された書類です（**図表４－１**）。「判定証明書」という名称で統一されてはいないので、同様の書類でも「判定書」や「愛の手帳判定結果について」など、地域により名称が異なります。療育手帳の「判定記録」欄に記載してある判定実施機関に連絡し、判定証明書の発行を依頼します。

なお、「判定記録」欄は顔写真が載っているページではなく3~4ページ目（カード式は裏面）にあることが多いようです。各判定実施機関で必要書類や手続きの流れは異なりますので、それぞれの機関にご確認ください。ほとんどの判定実施機関では郵送で受け付けています。

図表４－１　判定証明書の例

判定証明書

本人氏名：○○
生年月日：平成○年○月○日
住所：○○市○○1－1－1
（検査結果）
検査名：田中ビネー知能検査Ⅴ
おおむねIQ；おおむね51～60
検査日：令和○年9月1日
（所見）
軽度知的障害と認められます。

上記の通り証明します。
申請者　○○様
令和○年10月30日
○○県総合療育センター所長

3　診断書を作成してもらう医師の探し方

幼少期から診てもらっている精神科の医師がいる場合は問題ありません。小児科や内科の医師も知的・発達障害の診断または治療に従事していれば作成することが可能です。

（一社）全国手をつなぐ育成会連合会 権利擁護センター「障害基礎年金に関するアンケート調査」（令和３年３月）によれば、依頼した医師の診療科は精神科68.5％、小児科16.5％、内科7.6％、その他（わからないも含む）11.9％でした。

まずは、本人の発育状況や特性などを理解している「かかりつけ医」に障害年金の診断書作成が可能か確認してみましょう。ただし、かかりつけ医であっても専門（精神科）でないことを理由に断られる場合があります。

また、定期的な通院の必要性がない知的障害の場合は、かかりつけ医を持たないことが多く、障害年金の診断書作成を依頼する医師を探さなければなりません。前出の育成会連合会アンケートでは４割が「（医師を）新しく探した」と回答し、「どのように探したか」の質問への回答は、相談機関45.7％、親同士の情報交換42.5％となっています。

筆者の経験上でも、保護者同士の情報交換や支援者の紹介が多く、インターネット等で探す方は少数です。特に卒業校保護者会のつながりで情報提供してもらうケースが多い印象です。療育手帳判定が同程度かつ就労（就学）状況が似ている１～２年先輩の保護者から教えてもらえれば、情報が新しく、結果（等級）の見当を付けやすくなるのでお勧めです。

支援者に相談することも有効ですが、公的機関では中立・公平の観点から特定の医療機関を推薦することが難しい場合があります。障害年金を得意とする社会保険労務士（社労士）であれば、過去の実績から適切な医療機関を紹介してもらうことができるかもしれません。

候補の医師が決まったら、医療機関に連絡して障害年金診断書作成までの流れを確認します。社労士等が支援する場合、診察は１回で済むことがありますが、多くの場合、複数回の診察と指定の心理検査を受けることが求められます。

4　役所窓口で必要書類を受け取る

障害年金請求に必要な書類一式を、年金事務所またはお住まいの市町村役場にある障害基礎年金の担当窓口（保険年金課と称することが多いようです）で初回相談時に受け取ります。

年金事務所の相談窓口は予約制です。市町村役場も予約制のところがありますので、予約が必要か否か、あらかじめ電話などで確認することをお勧めします。

①　初回相談で準備するもの

❶基礎年金番号がわかる書類

基礎年金番号通知書に記載されています。基礎年金番号通知書は20歳になってからおおむね2週間以内に届きます。それまでは個人番号（マイナンバー）でも代用できますが、マイナンバーが確認できる個人番号カード原本が必要になります。

❷［本人が同席の場合］本人の身分証明書（療育手帳など）

❸［本人が不在の場合］委任状と代理人の身分証明書（運転免許証など）

②　委任状の記入例

委任状（年金事務所、市町村役場共通）は日本年金機構のホームページからダウンロードできます。

初回相談は同じ世帯の家族であれば本人不在でも委任状（**図表4−3**）を求めないことがありますが、請求時には必要になります。

③　書類の名称と役割

役所で書類一式を受け取ったら、全てそろっているか確認しましょう。次の表（**図表４－２**）が、障害年金請求に必要な主な書類の名称と役割です。

■図表４－２

名　称	役　割	作成者
年金請求書（国民年金障害基礎年金）	年金を受け取る意思を示すもの	本人・家族等
受診状況等証明書※	初診日を証明するもの	医師
診断書	障害状態の確認・等級判定をするもの	医師
病歴・就労状況等申立書	障害状態と就労状況の確認をするもの	本人・家族等

※「知的障害」「知的障害を伴う発達障害」は、受診状況等証明書の提出は不要です。

■図表4－3　委任状の記入例

委 任 状

日本年金機構　あて

※各項目は委任者(ご本人)がご記入ください。
※網掛け部分をご記入ください。

※委任日は委任状をご記入いただいた日です。

委任日	令和　○年　○月　○日

【受任者(来所される方)】

フリガナ	ヒラツカ　サガミ	委任者(ご本人)との関係	母
氏　名	平塚　さがみ		
住　所	〒 000 － 0000　電話(000) 0000－0000 ○○市○○1-2-3		

私は、上記の者を受任者と定め、以下の内容を委任します。

【委任者(ご本人)】

マイナンバーでの相談の場合は空欄にします。

基礎年金番号	○○○○－○○○○○○	基礎年金番号が不明である場合またはマイナンバーでのご相談の場合は、裏面の注意事項をご確認ください。
フリガナ	ヒラツカ　ミナト	
氏　名	平塚　湊 (旧姓　　　　)	生年月日：明治・大正・昭和・(平成)・令和　16年10月11日
		性別：(男)・女
住　所	〒 000 － 0000　電話(000) 0000－0000 ○○市○○1-2-3 上記に記入した住所が住民票住所と異なる場合は、こちらに住民票の住所をご記入ください。	

委任する内容（必ずご記入ください）

委任する内容を次の項目から選ぶか、具体的にご記入ください。

(1.)年金の加入期間について
(2.)年金の見込額について
(3.)年金の請求について
4. 各種再交付手続きについて(裏面の《来所時等の注意事項》をご確認ください)
5. 死亡に関する手続きについて(注)
6. 国民年金の加入手続きについて
7. 国民年金保険料の納付、免除、学生納付特例制度等について
8. その他(委任する内容を具体的にご記入ください)
(　　　　　　　　　　　　　　　　　　　　　)

1.～3.に丸をつければ、相談～請求まで網羅できます。

○ 年金の「加入期間」や「見込額」などの交付方法について次のいずれかを選んでください。
(A.)受任者に交付を希望する　　B. 本人あて郵送を希望する

A.に丸をつけます。

(注)「5.」の場合、以下に亡くなられた方についてご記入ください。

基礎年金番号		委任者(ご本人)との続柄	
氏　名		生年月日	明・大・昭・平・令　年　月　日

※裏面の注意事項をお読みいただき、記入漏れのないようにお願いします。
なお、委任状の記入内容に不備があったり、本人確認ができない場合にはご相談に応じられないことがあります。

5　受診状況等証明書とは

知的障害、発達障害の「20 歳前傷病の障害年金」で受診状況等証明書の添付を求められるケースは「知的障害を伴わない発達障害」のみです。「知的障害」「知的障害を伴う発達障害」の場合は、この項は読み飛ばしてください。

受診状況等証明書（以下、「受証」ともいいます）は障害年金の請求を行うとき、その傷病またはその原因となった症状について、初診日を明らかにするために使います（**図表4－4**）。

請求する傷病について初めてかかった医療機関で書いてもらいますが、初診のA病院ではカルテ廃棄などの理由で依頼できないことがあります。次のB病院にA病院からの診療情報提供書（紹介状）が残っている場合は、代わりにB病院に受証を書いてもらいます。

この場合、A 病院の「受診状況等証明書が添付できない申立書（受証が添付できない申立書）」に初診日を証明・推定できる書類を添付して、B 病院の受証とともに提出します。

「受証が添付できない申立書」は、その名の通り、何らかの理由で受証が提出できないことを申し立てる書類です（**図表4－5**）。書類の形式上、初診日の推定ができる書類がなくても提出できるようになっていますが、初診日が認められる可能性は低くなることもあるので気を付けましょう。

図表4－4　受診状況等証明書

年金等の請求用

障害年金等の請求を行うとき、その障害の原因又は誘因となった傷病で初めて受診した医療機関の初診日を明らかにすることが必要です。そのために使用する証明書です。

受　診　状　況　等　証　明　書

① 氏　　　名 ＿＿＿＿＿＿＿＿

② 傷　病　名 ＿＿＿＿＿＿＿＿

③ 発病年月日　昭和・平成・令和　　年　　月　　日

④ 傷病の原因又は誘因 ＿＿＿＿＿＿＿＿

⑤ 発病から初診までの経過

前医からの紹介状はありますか。⇒　有　　無　（有の場合はコピーの添付をお願いします。）

……………………………………

……………………………………

……………………………………

……………………………………

※診療録に前医受診の記載がある場合
右の該当する番号に○印をつけてください

1　初診時の診療録より記載したものです。
2　昭和・平成・令和　　年　　月　　日の診療録より記載したものです。

⑥ 初診年月日　昭和・平成・令和　　年　　月　　日

⑦ 終診年月日　昭和・平成・令和　　年　　月　　日

⑧ 終診時の転帰（ 治癒・転医・中止 ）

⑨ 初診から終診までの治療内容及び経過の概要

……………………………………

……………………………………

……………………………………

……………………………………

……………………………………

⑩ 次の該当する番号（1～4）に○印をつけてください。

複数に○をつけた場合は、それぞれに基づく記載内容の範囲がわかるように余白に記載してください。

上記の記載は　1　診療録より記載したものです。
2　受診受付簿、入院記録より記載したものです。
3　その他（　　　　　　　　　　）より記載したものです。
4　昭和・平成・令和　　年　　月　　日の本人の申し立てによるものです。

⑪ 令和　　年　　月　　日

医療機関名　　　　　　　　診療担当科名

所　在　地　　　　　　　　医師氏名

（提出先）日本年金機構　　　　　　（裏面もご覧ください。）

（出典：日本年金機構）

図表４－５　受診状況等証明書が添付できない申立書

年金等の請求用

受診状況等証明書が添付できない申立書

傷　　病　　名 ＿＿＿＿＿＿＿＿＿＿＿＿＿＿＿＿＿＿＿＿

医 療 機 関 名 ＿＿＿＿＿＿＿＿＿＿＿＿＿＿＿＿＿＿＿＿

医療機関の所在地 ＿＿＿＿＿＿＿＿＿＿＿＿＿＿＿＿＿＿＿＿

受　診　期　間　昭和・平成・令和　年　月　日 ～ 昭和・平成・令和　年　月　日

上記医療機関の受診状況等証明書が添付できない理由をどのように確認しましたか。
次の＜添付できない理由＞と＜確認方法＞の該当する□に✓をつけ、＜確認年月日＞に確認した日付を記入してください。
その他の□に✓をつけた場合は、具体的な添付できない理由や確認方法も記入してください。

＜添付できない理由＞　　＜確認年月日＞　平成・令和　　年　　月　　日

□ カルテ等の診療録が残っていないため

□ 廃業しているため

□ その他 ＿＿＿＿＿＿＿＿＿＿＿＿＿＿＿＿

＜確認方法＞　□ 電話　□ 訪問　□ その他（　　　　　　　　）

上記医療機関の受診状況などが確認できる参考資料をお持ちですか。
お持ちの場合は、次の該当するものすべての□に✓をつけて、そのコピーを添付してください。
お持ちでない場合は、「添付できる参考資料は何もない」の□に✓をつけてください。

□ 身体障害者手帳・療育手帳・精神障害者保健福祉手帳
□ 身体障害者手帳等の申請時の診断書
□ 生命保険・損害保険・労災保険の給付申請時の診断書
□ 事業所等の健康診断の記録
□ 母子健康手帳
□ 健康保険の給付記録（レセプトも含む）
□ お薬手帳・糖尿病手帳・領収書・診察券（可能な限り診察日や診療科が分かるもの）
□ 小学校・中学校等の健康診断の記録や成績通知表
□ 盲学校・ろう学校の在学証明・卒業証書
□ 第三者証明
□ その他（　　　　　　　　）
□ 添付できる参考資料は何もない

上記のとおり相違ないことを申し立てます。

令和　　年　　月　　日

請　求　者　住　所 ＿＿＿＿＿＿＿＿＿＿＿＿＿＿＿＿
　　　　　　氏　名 ＿＿＿＿＿＿＿＿＿＿＿＿

代筆者氏名 ＿＿＿＿＿＿＿＿＿＿　請求者との続柄 ＿＿＿＿＿＿

（提出先）日本年金機構　　（裏面もご覧ください。）

（出典：日本年金機構）

①　添付を省略できるケース

（ア）　知的障害
（イ）　知的障害を伴う精神障害（発達障害を含む）
（ウ）　障害認定日が20歳到達日と確認できる場合（例❶❷）

例❶

A病院を20歳到達日から1年6か月以上前から継続的に受診している場合、受証の添付は不要です。

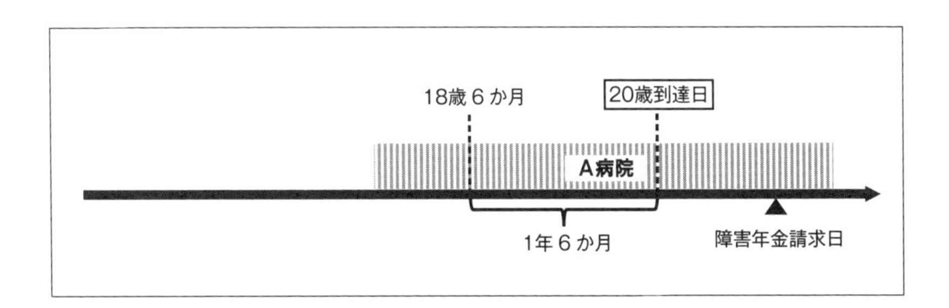

例❷

継続的な受診はないがA病院に受診歴（15歳頃）があり、A病院が診断書を作成する場合、障害認定日が20歳到達日と確認できるので受証の添付は不要です。

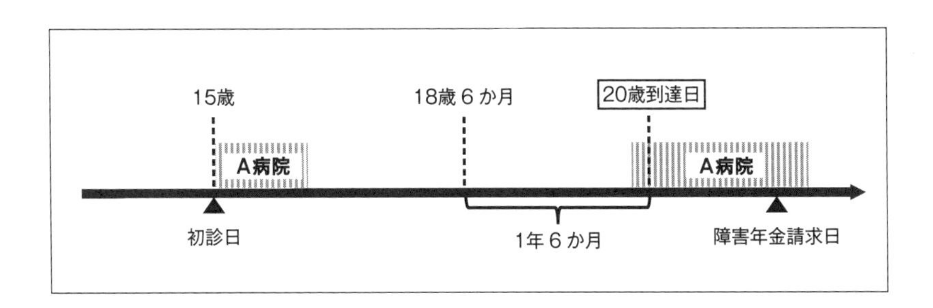

②　添付が必要なケース

①に該当しないケースでは、基本的に初診医療機関の受証を添付します。ただし、平成30年2月に初診日確認の添付書類の取り扱いが緩和され、初診日が18歳6か月よりも前にあると確認できれば、添付する受証は必ずしも初診医療機関である必要はなくなりました。

例❸

B病院の受証で18歳6か月よりも前から受診していることが確認できる場合、A病院の受証または受証が添付できない申立書の添付は不要です。

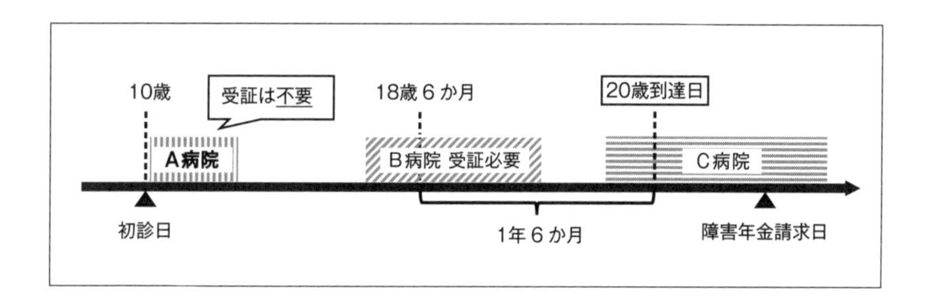

6　日常生活状況をまとめよう

精神・知的障害の障害年金審査では医師が作成する診断書、とりわけ「**日常生活能力の判定**」「**日常生活能力の程度**」が等級判定に大きな影響を及ぼします。不支給となった方の診断書を見ると、実際よりも日常生活能力が高く評価（できることは多く、障害状態は軽いと診断）されていることが多くあります。

医師は、家庭や職場での本人の状況を直接見ることはできないため、本人や家族に質問しながら推測するしかありません。特にかかりつけ医を持たない知的障害の場合、医師が1～2回の診察で本人の日常生活の詳細を把握することは至難の業です。そのため、医師が適切に判断できるよう、家族や支援者があらかじめ日常生活状況の資料を作成することをお勧めします。

①「日常生活状況」資料のポイント

- 診断書「日常生活能力の判定」（1）適切な食事～（7）社会性の項目ごとに箇条書きで2～5の要点・エピソードを書き出す
- 家族等同居者がいる場合、単身生活（援助や助言がない状況）を想定して記載する
- できることよりも課題点を中心に構成する

書き出す前に、診断書を作成する医師向けに公開されている【障害年金の診断書（精神の障害用）記載要領】の「2 日常生活能力の判定」（1）適切な食事～（7）社会性を確認します。この各項目の

「できる」～「助言や指導をしてもできない若しくは行わない」に応じた基本的な考え方を理解しておきましょう。

記載要領各項目の軽いほうから３番目「（自発的かつ適正に行うことはできないが）助言や指導があればできる」に「経常的」という表現が頻出しています。これは「ときどき」と「いつも」の中間「たびたび（しばしば）」に近い状態です。

（1）適切な食事

※　嗜癖的な食行動（たとえば拒食症や過食症）をもって「食べられない」とはしない。

1	できる	栄養のバランスを考え適当量の食事を適時にとることができる（外食、自炊、家族・施設からの提供を問わない）。
2	自発的にできるが時には助言や指導を必要とする	だいたいは自主的に適当量の食事を栄養のバランスを考え適時にとることができるが、時に食事内容が貧しかったり不規則になったりするため、家族や施設からの提供、助言や指導を必要とする場合がある。
3	自発的かつ適正に行うことはできないが助言や指導があればできる	１人では、いつも同じものばかりを食べたり、食事内容が極端に貧しかったり、いつも過食になったり、不規則になったりするため、経常的な助言や指導を必要とする。
4	助言や指導をしてもできない若しくは行わない	常に食事へ目を配っておかないと不食、偏食、過食などにより健康を害するほどに適切でない食行動になるため、常時の援助が必要である。

この項目は今現在、適切な食事をとれているかを聞いているものではありません。もし本人が単身で援助もなく生活をしたとしたら、栄養バランスや量、タイミングなどを考えた食事を自分で準備したうえで、食べることができるかどうかを聞いています。

つまり、家族等が３食用意して、それを言われた通りに食べることしかできないのであれば、この項目は「できる」という判断にはなりません。例えば、「野菜を食べず、好きなものばかり食べる」

「家族がカロリー管理しないと食べ過ぎてしまう」などがあれば、それらをしっかりと医師に伝えましょう。

(2) 身辺の清潔保持

1	できる	洗面、整髪、ひげ剃り、入浴、着替え等の身体の清潔を保つことが自主的に問題なく行える。必要に応じて（週に1回くらいは）、自主的に掃除や片付けができる。また、ＴＰＯ（時間、場所、状況）に合った服装ができる。
2	自発的にできるが時には助言や指導を必要とする	身体の清潔を保つことが、ある程度自主的に行える。回数は少ないが、だいたいは自室の清掃や片付けが自主的に行える。身体の清潔を保つためには、週1回程度の助言や指導を必要とする。
3	自発的かつ適正に行うことはできないが助言や指導があればできる	身体の清潔を保つためには、経常的な助言や指導を必要とする。自室の清掃や片付けを自主的にはせず、いつも部屋が乱雑になるため、経常的な助言や指導を必要とする。
4	助言や指導をしてもできない若しくは行わない	常時支援をしても身体の清潔を保つことができなかったり、自室の清掃や片付けをしないか、できない。

この項目も、基本的には「適切な食事」の解釈と同じです。例えば入浴の場面で、着替えや湯船にお湯を入れるなどの準備をし、シャンプーや石鹸を使って髪や体を洗い、濡れた体をタオルで拭いた後に着替えを行い、髪をドライヤーで乾かすなどの一連の流れを適切・自発的にできるかどうかを尋ねています。もし、家族から何度も清潔保持に関して促されたり、手伝ってもらうようであれば、「できる」には該当しないことになります。

逆に不潔恐怖などで肌が荒れるほど入浴回数が増加している場合も、適切に清潔保持ができているとはいえないでしょう。

また、この項目では、着替えや掃除、整理整頓ができるかどうかも問われています。

(3) 金銭管理と買い物
※　行為嗜癖に属する浪費や強迫的消費行動については、評価しない。

1	できる	金銭を独力で適切に管理し、１か月程度のやりくりが自分でできる。また、１人で自主的に計画的な買い物ができる。
2	おおむねできるが時には助言や指導を必要とする	１週間程度のやりくりはだいたい自分でできるが、時に収入を超える出費をしてしまうため、時として助言や指導を必要とする。
3	助言や指導があればできる	１人では金銭の管理が難しいため、３～４日に一度手渡して買い物に付き合うなど、経常的な援助を必要とする。
4	助言や指導をしてもできない若しくは行わない	持っているお金をすぐに使ってしまうなど、金銭の管理が自分ではできない、あるいは行おうとしない。

この項目では、１人だけでお金を管理し、収支のバランスをとったやりくりをし、１人での計画的な買い物ができるかを問われます。「支出を抑えている＝できる」とはなりません。この支出の抑え方がムダを省くという合理的なものであれば「できる」と考えていいでしょうが、「支出が怖いので、食事をほとんどとらない」「買い物への意欲が湧かないので、買い換えずにほつれた服を着続けている」といった場合は、バランスがとれているとはいいにくいでしょう。

また、「計画的な買い物」とある通り、収入に見合わない衝動的な買い物を繰り返す、生活に困るような高額な買い物をするなどがあれば、独力での金銭管理は難しいといえます。

(4)　通院と服薬

1	できる	通院や服薬の必要性を理解し、自発的かつ規則的に通院・服薬ができる。また、病状や副作用について、主治医に伝えることができる。
2	おおむねできるが時には助言や指導を必要とする	自発的な通院・服薬はできるものの、時に病院に行かなかったり、薬の飲み忘れがある（週に２回以上）ので、助言や指導を必要とする。
3	助言や指導があればできる	飲み忘れや、飲み方の間違い、拒薬、大量服薬をすることがしばしばあるため、経常的な援助を必要とする。
4	助言や指導をしてもできない若しくは行わない	常時の援助をしても通院・服薬をしないか、できない。

基本的にこの「通院」「服薬」は主に請求する傷病に関するものを指しますが、知的障害（および発達障害の一部）は定期的な通院や服薬を必要としません。その場合は風邪をひいたときなどを想定して、病院で症状を適切に伝えられるか、決められた時間に決められた量の薬を服用できるか、などを検討します。

もし、病院は家族等が付き添い、服薬にも助言が必要であれば、この項目は「できる」という判断にはなりません。

(5) 他人との意思伝達及び対人関係
※　１対１や集団の場面で、他人の話を聞いたり、自分の意思を相手に伝えたりするコミュニケーション能力や他人と適切につきあう能力に着目する。

1	できる	近所、仕事場等で、挨拶など最低限の人づきあいが自主的に問題なくできる。必要に応じて、誰に対しても自分から話せる。友人を自分から作り、継続してつきあうことができる。
2	おおむねできるが時には助言や指導を必要とする	最低限の人づきあいはできるものの、コミュニケーションが挨拶や事務的なことにとどまりがちで、友人を自分から作り、継続してつきあうには、時として助言や指導を必要とする。あるいは、他者の行動に合わせられず、助言がなければ、周囲に配慮を欠いた行動をとることがある。
3	助言や指導があればできる	他者とのコミュニケーションがほとんどできず、近所や集団から孤立しがちである。友人を自分から作り、継続して付き合うことができず、あるいは周囲への配慮を欠いた行動がたびたびあるため、助言や指導を必要とする。
4	助言や指導をしてもできない若しくは行わない	助言や指導をしても他者とコミュニケーションができないか、あるいはしようとしない。また、隣近所・集団とのつきあい・他者との協調性がみられず、友人等とのつきあいがほとんどなく、孤立している。

この項目では、家族以外の他者とのコミュニケーションついて問われています。例えば「相手の言葉の裏が読めずにトラブルになってしまった」「３語文程度しか話すことができない」「協調性がなく孤立している」といった困難があれば、医師に伝えておきましょう。

また、性格なのか障害なのかがわからなくても「友人を作るのが難しく交友関係が狭い」「人をすぐに信用するため宗教勧誘に乗ってしまった」などの困りごとがあれば、付け加えてもいいでしょう。

(6) 身辺の安全保持及び危機対応

※　自傷（リストカットなど行為嗜癖的な自傷を含む。）や他害が見られる場合は、自傷・他害行為を本項目の評価対象に含めず、⑩障害の状態のア欄（現在の病状又は状態像）及びイ欄（左記の状態について、その程度・症状・処方薬等の具体的記載）になるべく具体的に記載してください。

1	できる	道具や乗り物などの危険性を理解・認識しており、事故等がないよう適切な使い方・利用ができる（例えば、刃物を自分や他人に危険がないように使用する、走っている車の前に飛び出さない、など）。また、通常と異なる事態となった時（例えば火事や地震など）に他人に援助を求めたり指導に従って行動するなど、適正に対応することができる。
2	おおむねできるが時には助言や指導を必要とする	道具や乗り物などの危険性を理解・認識しているが、時々適切な使い方・利用ができないことがある（例えば、ガスコンロの火を消し忘れる、使用した刃物を片付けるなどの配慮や行動を忘れる）。また、通常と異なる事態となった時に、他人に援助を求めたり指示に従って行動できない時がある。
3	助言や指導があればできる	道具や乗り物などの危険性を十分に理解・認識できておらず、それらの使用・利用において、危険に注意を払うことができなかったり、頻回に忘れてしまう。また、通常と異なる事態となった時に、パニックになり、他人に援助を求めたり、指示に従って行動するなど、適正に対応することができないことが多い。
4	助言や指導をしてもできない若しくは行わない	道具や乗り物などの危険性を理解・認識しておらず、周囲の助言や指導があっても、適切な使い方・利用ができない、あるいはしようとしない。また、通常と異なる事態となった時に、他人に援助を求めたり、指示に従って行動するなど、適正に対応することができない

診断書のこの項目には「事故等の危機から身を守る能力がある、

通常と異なる事態となった時に他人に援助を求めるなど含めて、適正に対応することができるなど。」と書かれています。最初に述べていますが、これらの判断基準は「単身かつ支援もない状態である」ことを前提としています。周囲に家族等がいない場合に、危機回避できるかどうかという点を考えていきます。

❶　安全保持

ここでいう安全保持には、自傷行為や他害については含みません。これらは診断書「⑩　障害の状態」のア欄およびイ欄に具体的に記載してもらいます。道具や乗り物の危険性を理解し、適切な方法で使用できるかどうかが安全保持における注目ポイントです。

❷　危機対応

ここでいう危機は火事や地震などを想定しています。本人が巻き込まれたときに周囲に助けを求められるか、また、その指示に従って的確に行動することができるか、が問われています。コミュニケーションに困難を抱えているため、他者に助けを求めることができない、指示通りに動くことができない、ということが想定されるのであれば、この項目は「できる」という判断にはなりません。

(7) 社会性

1	できる	社会生活に必要な手続き（例えば行政機関の各種届出や銀行での金銭の出し入れ等）や公共施設・交通機関の利用にあたって、基本的なルール（常識化された約束事や手順）を理解し、周囲の状況に合わせて適切に行動できる。
2	おおむねできるが時には助言や指導を必要とする	社会生活に必要な手続きや公共施設・交通機関の利用について、習慣化されたものであれば、各々の目的や基本的なルール、周囲の状況に合わせた行動がおおむねできる。だが、急にルールが変わったりすると、適正に対応することができないことがある。
3	助言や指導があればできる	社会生活に必要な手続きや公共施設・交通機関の利用にあたって、各々の目的や基本的なルールの理解が不十分であり、経常的な助言や指導がなければ、ルールを守り、周囲の状況に合わせた行動ができない。
4	助言や指導をしてもできない若しくは行わない	社会生活に必要な手続きや公共施設・交通機関の利用にあたって、その目的や基本的なルールを理解できない、あるいはしようとしない。そのため、助言・指導などの支援をしても、適切な行動ができない、あるいはしようとしない。

社会性は、集団生活における適応の困難さを知ってもらうための項目です。

社会生活に必要な手続きができないケースとしては、所定の書類に記入して提出するだけの住民票請求が難しい、銀行 ATM 操作はできないといったことが想定できます。

公共交通機関の利用でよくあるのが、「ダイヤ変更や天候により時刻通りに電車が来ないとパニックを起こしてしまう」といったケースです。それ以外にも集団生活において個別の支援が必要な場合は、具体的なエピソードを医師に伝えるようにしましょう。

②「日常生活状況」資料のサンプル

日常生活状況について

（1）適切な食事

・月に5回ほど過食してしまうことがあり、最近体重が5kg増えた。
・野菜を全く食べないなど、栄養バランスが偏っている。
・包丁や火を使った調理はできないので、単身を想定した場合、菓子やジャンクフードばかりの食生活になると思う。

（2）身辺の清潔保持

・着替えは、入浴するまでせず、1日中同じ服で過ごしている。
・入浴は湯に浸かるだけで洗身はしない。
・洗髪とひげそりは家族に促されて、週に2～3回程度。
・爪を切ることができないので、家族が切っている。
・掃除は、家族が手順を指示しなければできない。単身生活であったら、掃除することはないと思う。

（3）金銭管理と買い物

・自身で金銭管理ができないため、家族が行っている。
・近所のコンビニでも、家族が付き添わなければ行くことができない。
・お金の価値がわからず、値段を気にせず欲しい物を衝動買いしてしまう。
・もし単身で生活していたとしたら、食料や日用品の買い物は満足にできず生活に困窮してしまうと思う。

（4）通院と服薬
・風邪などの症状があっても通院の必要性を判断することができない。
・医師に状況を説明することができないので、同伴した家族が伝えている。
・薬は飲み忘れがあるため、家族が管理している。

（5）他人との意思伝達および対人関係
・相手の言葉が理解できないことがあり、すぐ「ごめんなさい。」と言って会話を終えるなどコミュニケーションは苦手である。
・電話は家族以外とはできない。
・職場では指導役の人以外とは話さず、挨拶や目を合わせることもしない。

（6）身辺の安全保持および危機対応
・鉄道が事故で振替輸送となった際、どうすべきかわからず、人にも聞けずにパニックになったことがある。
・もし、事件や火事などに遭遇したら、警察や消防に通報することはできず、自分自身の身を守れるかも不安。

（7）社会性
・銀行の手続きではATMで入出金するのがやっとで、振込みなどの手続きは難しくてできない。
・住民票の取得程度の簡単な手続きでも、家族が付き添い、サポートをしなければ難しい。

7　病歴・就労状況等申立書を書いてみよう

障害年金で障害状態を確認するための書類は、医師が作成する診断書と本人または家族等が作成する病歴・就労状況等申立書です。病歴・就労状況等申立書は、知的・発達障害の場合、成育・通院歴、就労・日常生活状況をまとめたものです。請求者側（本人・家族等）が障害状態を書く唯一のもで、障害等級に該当していることを自ら訴えかけることができます。

また、医師は病歴・就労状況等申立書に書かれた情報を基に診断書を作成することがあります。審査では、医学的かつ客観的に評価された診断書がより重視されるのは事実ですが、その土台となる病歴・就労状況等申立書も大切な役割を担っています。

本章1 成育歴の書き出しから始める（☞ **104ページ**）でまとめた成育歴を基に文章にしていきます。

修正・変更がしやすいWord等での作成がお勧めです。日本年金機構の定型書式に「別紙参照」と記載して印刷した病歴・就労状況等申立書を添付すれば問題なく受け付けてくれます（**図表4－6**）。

図表4－6　申立書と別紙

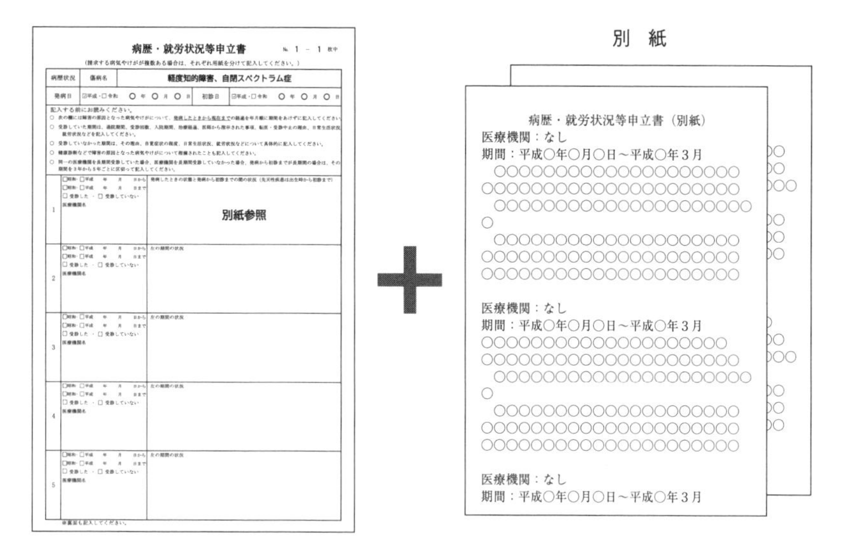

病歴・就労状況等申立書　No. 1 － 1 枚中

（請求する病気やけがが複数ある場合は、それぞれ用紙を分けて記入してください。）

病歴状況	傷病名	軽度知的障害、自閉スペクトラム症		
発病日	☑平成・□令和　○年　○月　○日		初診日	☑平成・□令和　○年　○月　○日

記入する前にお読みください。
○ 次の欄には障害の原因となった病気やけがについて、発病したときから現在までの経過を年月順に期間をあけずに記入してください。
○ 受診していた期間は、通院期間、受診回数、入院期間、治療経過、医師から指示された事項、転医・受診中止の理由、日常生活状況、就労状況などを記入してください。
○ 受診していなかった期間は、その理由、自覚症状の程度、日常生活状況、就労状況などについて具体的に記入してください。
○ 健康診断などで障害の原因となった病気やけがについて指摘されたことも記入してください。
○ 同一の医療機関を長期間受診していた場合、医療機関を長期間受診していなかった場合、発病から初診までが長期間の場合は、その期間を3年から5年ごとに区切って記入してください。

1	□昭和・□平成　年　月　日から □昭和・□平成　年　月　日まで □ 受診した ・ □ 受診していない 医療機関名	発病したときの状態と発病から初診までの間の状況（先天性疾患は出生時から初診まで） 別紙参照
2	□昭和・□平成　年　月　日から □昭和・□平成　年　月　日まで □ 受診した ・ □ 受診していない 医療機関名	左の期間の状況
3	□昭和・□平成　年　月　日から □昭和・□平成　年　月　日まで □ 受診した ・ □ 受診していない 医療機関名	左の期間の状況
4	□昭和・□平成　年　月　日から □昭和・□平成　年　月　日まで □ 受診した ・ □ 受診していない 医療機関名	左の期間の状況
5	□昭和・□平成　年　月　日から □昭和・□平成　年　月　日まで □ 受診した ・ □ 受診していない 医療機関名	左の期間の状況

※裏面も記入してください。

別　紙

病歴・就労状況等申立書（別紙）
医療機関：なし
期間：平成○年○月○日～平成○年３月
　○○○○○○○○○○○○○○○○○○○
○○○○○○○○○○○○○○○○○○○○
　○○○○○○○○○○○○○○○○○○○○
○
　○○○○○○○○○○○○○○○○○○○
○○○○○○○○○○○○○○○○○○○○
○○○○○○○○○○○○○○○○○○○○

医療機関：なし
期間：平成○年○月○日～平成○年３月
○○○○○○○○○○○○○○○○○○○
○○○○○○○○○○○○○○○○○○○○
　○○○○○○○○○○○○○○○○○○○○
○
　○○○○○○○○○○○○○○○○○○○
○○○○○○○○○○○○○○○○○○○○
○○○○○○○○○○○○○○○○○○○○

医療機関：なし
期間：平成○年○月○日～平成○年３月

＜病歴・就労状況等申立書の記入簡素化について＞

令和２年10月より、以下の①、②に該当する場合は「病歴・就労状況等申立書」の病歴状況の記入を簡素化できるようになりました。

①　知的障害
　特に大きな変化が生じた場合を中心に、出生時から現在までの状況を一括してまとめて記入することが可能です。

②　発達障害（初診日が18歳6か月よりも前）
　特に大きな変化が生じた場合を中心に、出生時から初診日までの状況を一括してまとめて記入することが可能です。

筆者は病歴・就労状況等申立書には診断書の土台としての役

割があることと、読みやすい構成という観点から、従来の記入方法（各学校段階ごとに区切る。**図表4－7**参照）をお勧めします。

■図表4－7　病歴・就労状況等申立書（別紙）の記入例

病歴・就労状況等申立書（別紙）

申立人：○○○○（母）

医療機関：なし

期間：平成○年○月○日～平成○年3月

平成○年○月○日出生。出生前のエコー検査や分娩には異常はなかった。

夜泣きがひどかったが、基本的には大人しい子だったため、そのときは誰にも相談しなかった。

1歳頃、ハイハイをすることはなく、なかなかお座りをしなかった。歩き始めたのは1歳10か月頃。

1歳半健診では「ママ」「パパ」などの単語が出ず、2歳頃まで経過を見たほうがよいと言われた。

2歳になっても言葉の遅れが気になり、保健師に家庭内の様子を見てもらったところ、やや遅れが見られるので保健センターの児童相談を勧められた。保健センターの医師に診てもらったが、まだ小さいため判断がつかないと言われた。

平成○年4月、△△幼稚園に入園。

登園準備などにこだわりを見せるようになり、思い通りにならないとパニックを起こして泣き叫ぶことがあった。幼稚園では、集団行動などで周囲についていけないことがあり、さまざまな場面で先生からのサポートを受けていた。それでも、友だちに恵まれ、それなりに楽しく過ごせていた様子だった。

幼稚園の先生に勧められ、市の療育センターで就学前診断を受けたところ、自閉症の傾向があること、特に言語の点数が低いことの説明があった。就学先は支援学級を選択肢に入れることを勧められた。

医療機関：なし
期間：平成○年４月～平成○年３月

平成○年４月、□□小学校に入学。他の子と同じように勉強させたいという親の希望で普通級を選択した。１年生のうちはどうにか頑張っていたが、２年生から授業の理解が周囲から大きく遅れるようになり、担任の先生に勧められ通級に通うようになった。遅れを取り戻そうと家庭でも勉強を教えたが、やはり理解は難しく、宿題もほとんど親がやっているような状態だった。絵を描くことなど、自分の興味のあることは何時間でも集中したが、興味のないことは全く集中できず、忘れ物も多かった。

５年生のとき、普通級の先生から忘れ物の多さについて、クラスメイト全員のいるところで叱られ、普通級の児童からからかわれることが増えた。それ以降、学校に行くのを嫌がるようになった。普通級の先生、通級の先生と相談し、少人数で目の行き届く支援級に６年生から移った。支援級では他の児童の目を気にすることがなくなり、学校に行くことを嫌がることはなくなった。

医療機関：なし
期間：平成○年４月～平成○年３月

平成○年４月、□□中学校（支援級）に入学。

学習面は小学校低学年のドリルを行い、部活は支援級の担任が顧問を務める美術部で活動した。この頃も（今に通じるが）、相手の気持ちや行動の背景にある気持ちを汲み取ること、表情などの非言語的な情報を読み取ること、相手と自分の関係性を捉えることなどが苦手だった。

自分から人に話しかけても一方的になってしまい相手から聞き返されることが続き、自分から言葉を発することがなくなった。家族との会話であっても、1度聞き返すと「何でもない」と言って話すのをあきらめてしまうことが増えた。次第に物事の捉え方がネガティブになっていった。そのため、クラスでも部活でも他生徒との交友関係を築くことはほとんどできなかった。

平成○年10月、療育手帳（B2）を取得

医療機関：△△クリニック
期間：平成○年4月～令和○年3月

平成○年4月、□□支援学校に入学。

生活リズムを整えることが難しく、特に冬は毎日遅刻していた。また、忘れ物が多く、保護者宛のプリントをもらったことも忘れていることが多かった。

平成○年9月、△△クリニックへ通院を開始。心理検査の結果、軽度知的障害、自閉スペクトラム症と診断。

令和○年10月、療育手帳の再判定結果（田中ビネー知能検査V）はIQ61～70だった。

令和○年12月、職場実習を経て自動車部品会社（障害者雇用）から内定をもらった。

医療機関：△△クリニック
期間：令和○年4月～現在

令和○年4月、株式会社○○に入社（障害者雇用）。製品（自動車部品）の配送先仕分け、梱包など単純かつ反復的な業務に従事している。

＜会社から提供されている合理的配慮＞
・3交代制の職場だが、勤務時間の変化による対応が難しいため、特別に日勤に限定してもらっている。
・コミュニケーションに不安があるため、作業の指示確認や困ったときの相談先などは指導役の上司の方に一元化してもらっている。
・言葉だけでは意思疎通が難しく、図などを用いて視覚的に理解できるよう工夫してもらっている。

＜家族から見た課題点＞
・集中力が続かず、職場から「最初は指示通りに作業をするが、しばらくすると自分流のやり方にアレンジする。指摘すると投げやりな態度をとる。」との指摘を受けた。
・気温に合った服装の選択ができず、私が着替えを準備している。しかし、どういう順番でそれぞれの服を着ればよいかわからないため、私が教えながら着替えを行っている。
・自分の好むものしか食べようとしないため、私がバランスを考えて食事を作り食べさせている。
・片付けが苦手で脱いだ服をその場に脱ぎ散らかしてしまう。そのため、靴下を片方失くすことが頻繁にある。
・ゴミをゴミ箱に捨てることもせず、机の上がゴミだらけでも平気でいる。
・現金の取扱いが苦手。買い物の際に小銭で足りる金額であっても紙幣を出してしまう。

上記の通り、自発的なコミュニケーションができず、加えて片付けや金銭管理が困難で、着替え・食事も適切にできない等、日常生活に著しい支障があるため、今後も見守りおよび援助が必要と考えている。

以上

令和○年○月○日
○○市○○ 1-2-3
○○○○（母）
△△△△（請求者）

■図表4－8　病歴・就労状況等申立書（書式）裏面の記入例

就労・日常生活状況	1. 障害認定日（初診日から1年6月目または、それ以前に治った場合は治った日）頃と 2. 現在（請求日頃）の就労・日常生活状況等について該当する太枠内に記入してください。

20歳到達日（誕生日の前日）を記入

1．障害認定日（☐昭和・☐平成・☑令和　○ 年 ○ 月 ○ 日）頃の状況を記入してください。

就労状況	就労していた場合	職種（仕事の内容）を記入してください。	**製品の発送業務**
		通勤方法を記入してください。	通勤方法　バス 通勤時間（片道）　時間　30　分
		出勤日数を記入してください。	障害認定日の前月　19　日　障害認定日の前々月　21　日
		仕事中や仕事が終わった時の身体の調子について記入してください。	**週後半になると疲労の蓄積からミスが多くなるとの上司の指摘あり。**
	就労していなかった場合	仕事をしていなかった（休職していた）理由すべてにチェックをしてください。 なお、オを選んだ場合は、具体的な理由を（　）内に記入してください。	☐ア　体力に自信がなかったから ☐イ　医師から働くことを止められていたから ☐ウ　働く意欲がなかったから ☐エ　働きたかったが適切な職場がなかったから ☐オ　その他（理由　　）
日常生活状況		日常生活の制限について、該当する番号にチェックをしてください。 1 → 自発的にできた 2 → 自発的にできたが援助が必要だった 3 → 自発的にできないが援助があればできた 4 → できなかった	着替え　☐1・☐2・☑3・☐4　洗　面　☐1・☐2・☑3・☐4 トイレ　☐1・☑2・☐3・☐4　入　浴　☐1・☐2・☑3・☐4 食　事　☐1・☐2・☑3・☐4　散　歩　☐1・☐2・☑3・☐4 炊　事　☐1・☐2・☐3・☑4　洗　濯　☐1・☐2・☐3・☑4 掃　除　☐1・☐2・☐3・☑4　買　物　☐1・☐2・☐3・☑4
		その他日常生活で不便に感じたことがありましたら記入してください。	別紙参照

2．現在（請求日頃）の状況を記入してください。

就労状況	就労している場合	職種（仕事の内容）を記入してください。	
		通勤方法を記入してください。	通勤方法 通勤時間（片道）　時間　分
		出勤日数を記入してください。	請求日の前月　日　請求日の前々月　日
		仕事中や仕事が終わった時の身体の調子について記入してください。	
	就労していない場合	仕事をしていない（休職している）理由すべてにチェックをしてください。 なお、オを選んだ場合は、具体的な理由を（　）内に記入してください。	☐ア　体力に自信がないから ☐イ　医師から働くことを止められているから ☐ウ　働く意欲がないから ☐エ　働きたいが適切な職場がないから ☐オ　その他（理由　　）
日常生活状況		日常生活の制限について、該当する番号にチェックをしてください。 1 → 自発的にできる 2 → 自発的にできたが援助が必要である 3 → 自発的にできないが援助があればできる 4 → できない	着替え　☐1・☐2・☐3・☐4　洗　面　☐1・☐2・☐3・☐4 トイレ　☐1・☐2・☐3・☐4　入　浴　☐1・☐2・☐3・☐4 食　事　☐1・☐2・☐3・☐4　散　歩　☐1・☐2・☐3・☐4 炊　事　☐1・☐2・☐3・☐4　洗　濯　☐1・☐2・☐3・☐4 掃　除　☐1・☐2・☐3・☐4　買　物　☐1・☐2・☐3・☐4
		その他日常生活で不便に感じていることがありましたら記入してください。	
障害者手帳		障害者手帳の交付を受けていますか。	☑1　受けている　☐2　受けていない　☐3　申請中
		交付されている障害者手帳の交付年月日、等級、障害名を記入してください。 その他の手帳の場合は、その名称を（　）内に記入してください。 ※ 略字の意味 身→ 身体障害者手帳　療→ 療育手帳 精→ 精神障害者保健福祉手帳　他→ その他の手帳	①　☑身・☐精・☑療・☐他（　） ☑平成・☐令和　○ 年 ○ 月 ○ 日（　B2　） 障害名（　**軽度知的障害、自閉スペクトラム症**　） ②　☐身・☐精・☐療・☐他（　） ☐平成・☐令和　年　月　日（　級） 障害名（　）

障害認定日から1年を経過している場合のみ記入

上記のとおり相違ないことを申し立てます。

※請求者本人が署名する場合、押印は不要です。

令和○年○月○日

請求者　現住所　○○市○○1-2-3

氏　名　△△△△

電話番号　000 － 0000 － 0000

代筆者　氏　名　○○○○

請求者からみた続柄（　**母**　）

8　医師に診断書作成を依頼する

「20歳前傷病による障害年金」で年金請求する方の多くは、20歳到達日が障害認定日になります（☞ **30ページ 第1章3「20歳前傷病の障害年金」とは**）。

障害年金の診断書作成には、成育歴や日常生活状況の聞き取り、心理検査の実施などが必要ですので、通常の診察よりも時間がかかります。医療機関によっては、通常の診察予約とは別枠にしたり、複数回に分けるなどの対応をしています。そうすると、20歳になってから医師に診断書の相談をしても指定期間（障害認定日前後3か月以内）に予約が取れない可能性があります。

そのため、20歳到達日（障害認定日）からおおむね6か月前には、医師に障害年金請求の意向を伝え、診断書作成に関してあらかじめ同意を得ておきましょう。

診断書を依頼する際、かかりつけ医かそれ以外の医師かで準備する書類は多少異なります。次のチェックリスト（**図表4－9**）に該当する書類をクリアホルダーなどにまとめておき、指定期間の診察時に医師へ渡すようにしましょう。完成した診断書を受け取れるまで1か月程度かかるのが一般的です。

■図表4－9　準備書類のチェックリスト

名　称	入手先	省略できる場合
□診断書	年金事務所または市町村役場の障害基礎年金担当窓口	なし
□病歴・就労状況等申立書と別紙のコピー（☞ 134 ページ）	年金事務所または市町村役場の障害基礎年金担当窓口 別紙は書式の定めなし	あり（かかりつけ医で成育歴を把握しているなど）
□受診状況等証明書のコピー（☞ 117 ページ）	年金事務所または市町村役場の障害基礎年金担当窓口で書式を受け取り、初診医療機関が記入したもの	あり（☞ 119 ページ）
□日常生活状況について（☞ 130 ページ）	書式の定めなし	あり（かかりつけ医で日常生活状況を把握しているなど）
□「エ現症時の就労状況」の参考情報、または「就労状況に関する第三者の意見書」のコピー（☞ 91 ページ）	書式の定めなし	あり（就労していないなど）
□就学状況の参考情報、または「就学状況に関する第三者の意見書」のコピー（☞ 96 ページ）	書式の定めなし	あり（就学していないなど）
□心理検査結果のコピー、または判定証明書のコピー（☞ 109 ページ）	心理検査結果は、検査実施機関。判定証明書は、療育手帳の判定実施機関	あり（かかりつけ医で知能指数などを把握しているなど）

9　完成した診断書を受け取ったら

医療機関から診断書を受け取ったら、必ず内容を確認しましょう。封がされていても開封して問題ありません。記入漏れや誤解による記述と思われる箇所があれば、追記・訂正が可能か医師に相談しましょう。記入漏れや実状と異なる記述をそのままにしておくと、審査期間・結果に影響を及ぼす可能性があります。訂正があった場合でも二重線で訂正（訂正印は不要）されていれば診断書を再作成してもらう必要はありません。

チェックポイント（▲は重要、◎は最重要）をまとめましたので参考にしてください（**図表4－10**）。

■図表4－10　診断書のチェックポイント

㋐ 障害名とICD-10コードが記載されているか
(知的障害と発達障害が併存する場合は、それぞれに障害名とICD-10コードが記載されているか)

<table>
<tr><th>知的障害
＜精神遅滞＞</th><th>ICD-10コード</th><th>発達障害</th><th>ICD-10コード</th></tr>
<tr><td>軽　度</td><td>F70</td><td rowspan="2">広汎性発達障害
＜自閉症スペクトラム障害･アスペルガー症候群＞</td><td rowspan="2">F84</td></tr>
<tr><td>中等度</td><td>F71</td></tr>
<tr><td>重　度</td><td>F72</td><td rowspan="2">多動性障害
＜注意欠陥多動性障害･ADHD＞</td><td rowspan="2">F90</td></tr>
<tr><td>最重度</td><td>F73</td></tr>
</table>

注：＜＞の障害名で記載される場合がある。

㋑	病歴・就労状況等申立書に記載された成育歴（運動・言語発達の遅れ、判明したきっかけ、性格傾向等）などが一通り盛り込まれているか
㋒	特別支援教育またはそれに相当する支援の教育歴がない場合には、幼少期の状況（不適応行動、いじめなどの問題、学習の遅れの有無など）について記載されているか
㋓ ▲	「普通級」「特別支援学級（学校）」は正しく選択されているか （通信制高校・サポート校は「その他」または欄外に記入されているか）
㋔	診断書の現症日（その障害状態がいつのものなのか）が記載されているか
㋕	知的障害は「Ⅶ　知的障害等」に、発達障害は「Ⅷ　発達障害関連症状」に、知的障害と発達障害が併存する場合は両方に○印が付されているか
㋖ ▲	等級判定ガイドライン〔表2〕総合評価の際に考慮すべき要素の例 ❶現在の病状または状態像（☞ **68ページ**）で示された内容が反映されているか （特に「対人関係の特徴」「他人との意思疎通」「不適応行動の具体例」など） 就学中の場合は参考情報（☞ **96ページ**）の内容が反映されているか
㋗ ▲	「現在の生活環境」「同居者の有無」は正しく選択されているか
㋘ ㋙ ◎	「2　日常生活能力の判定」「3　日常生活能力の程度」が「4　等級判定ガイドラインとは」の〔表1〕障害等級の目安（☞ **61ページ**）に照らして「2級」以上に該当しているか 【「2級または3級」「3級」の場合】 医師の判断を尊重し、単に「2級」に該当していないからと変更を要求することはできません。ただし、かかりつけ医でない場合、たった数回の診察で医師が本人の日常生活状況を把握することは非常に困難です。このような場合の対応については、**本章10 気になる箇所はそのままにしない**（☞ **147ページ**）を参照してください。
㋚ ▲	対策（基本編）（☞ **91ページ 第3章2 就労が不利に扱われないための対策**）で準備したメモが反映されているか

㋛	知能検査（ウェクスラー式、田中ビネーなど）の数値が記載されているか
㋜	例示にある福祉サービスの他、就労移行支援事業所、相談支援事業所等の利用状況が記載されているか
㋝ ▲	日常生活活動能力は、日常・社会生活上の課題や援助の必要度が記載されているか 労働能力は、どの程度の労働であれば可能なのか、が記載されているか 【記載例】 　日常生活では、規則正しい生活を維持するためには多くの声かけが必要である。労働能力については、周囲の見守り、協力のもとで軽作業は可能と考える。
㋞	「不明」「不詳」「不変」「不良」と記載されることが多い

※　診断書はＡ３判の用紙となっています。細部は巻末資料をご覧いただくか、または日本年金機構のホームページから実際の用紙をダウンロードしてご確認ください。Google 等で［精神の障害　診断書　日本年金機構］と検索すると、上位のほうに表示されます。

〈診断書の対応箇所〉

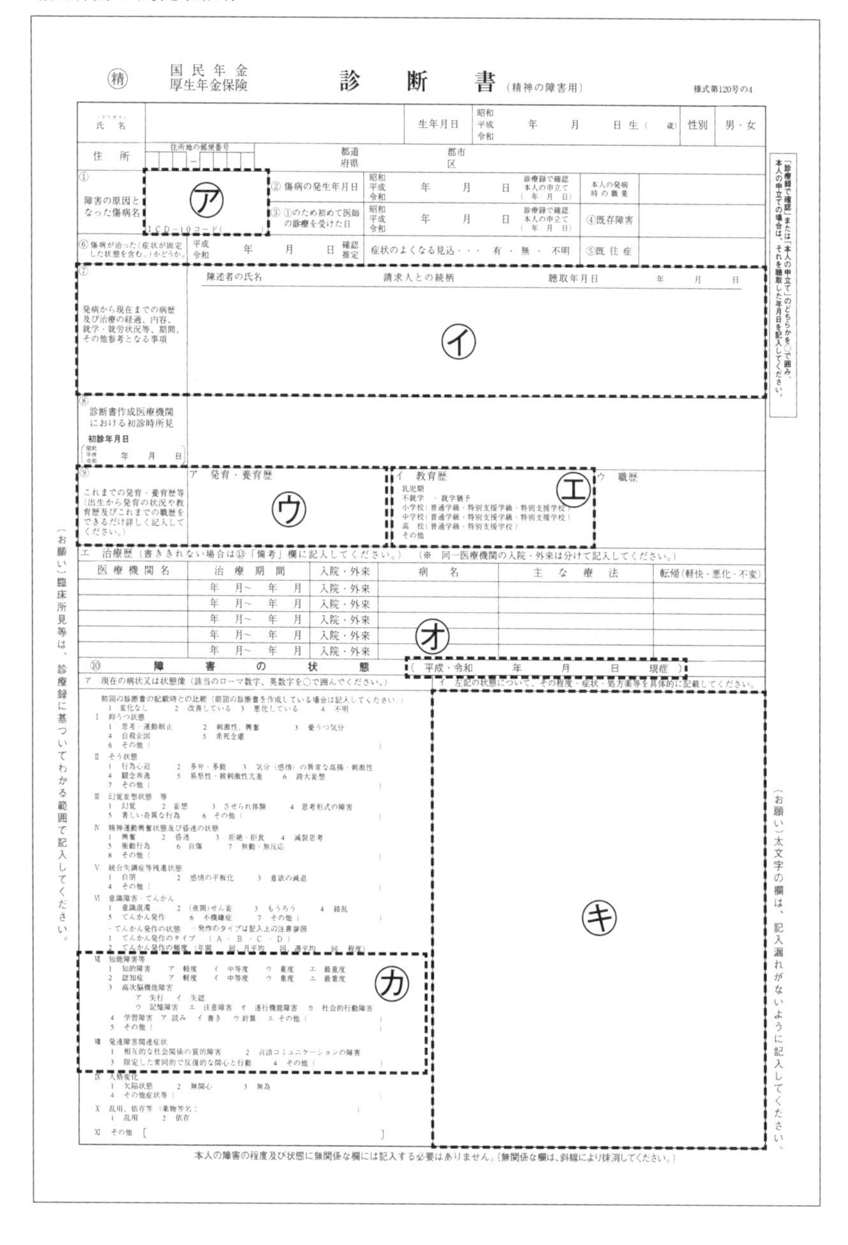

㊞精　国民年金　厚生年金保険

診　断　書（精神の障害用）

様式第120号の4

（フリガナ）氏名		生年月日	昭和 平成 令和　年　月　日生（　歳）	性別	男・女
住所	住所地の郵便番号 □□□－□□□□	都道府県	郡市区		

① 障害の原因となった傷病名	㋐ ICD－10コード（　）	② 傷病の発生年月日	昭和 平成 令和　年　月　日	診療録で確認 本人の申立て（年 月 日）	本人の発病時の職業	
		③ ①のため初めて医師の診療を受けた日	昭和 平成 令和　年　月　日	診療録で確認 本人の申立て（年 月 日）	④既存障害	
⑥ 傷病が治った（症状が固定した状態を含む。）かどうか。	平成 令和　年　月　日 確認 推定	症状のよくなる見込・・・　有・無・不明			⑤既往症	

「診療録で確認」または「本人の申立て」のどちらかを○で囲み、本人の申立ての場合は、それを聴取した年月日を記入してください。

⑦ 発病から現在までの病歴及び治療の経過、内容、就学・就労状況等、期間、その他参考となる事項	陳述者の氏名　請求人との続柄　聴取年月日　年　月　日 ㋑
⑧ 診断書作成医療機関における初診時所見 初診年月日（昭和 平成 令和　年　月　日）	

⑨ これまでの発育・養育歴等（出生から発育の状況や教育歴及びこれまでの職歴をできるだけ詳しく記入してください。）	ア　発育・養育歴 ㋒	イ　教育歴 ㋓ 乳児期 不就学　・就学猶予 小学校（普通学級・特別支援学級・特別支援学校） 中学校（普通学級・特別支援学級・特別支援学校） 高　校（普通学級・特別支援学校） その他	ウ　職歴

エ　治療歴（書ききれない場合は⑬「備考」欄に記入してください。）　（※　同一医療機関の入院・外来は分けて記入してください。）

医療機関名	治療期間	入院・外来	病名	主な療法	転帰（軽快・悪化・不変）
	年　月～　年　月	入院・外来			
	年　月～　年　月	入院・外来			
	年　月～　年　月	入院・外来			
	年　月～　年　月	入院・外来			
	年　月～　年　月	入院・外来			

㋔

⑩　障　害　の　状　態　（平成・令和　年　月　日　現症）

ア　現在の病状又は状態像（該当のローマ数字、英数字を○で囲んでください。）

前回の診断書の記載時との比較（前回の診断書を作成している場合は記入してください。）
1　変化なし　2　改善している　3　悪化している　4　不明

Ⅰ　抑うつ状態
1　思考・運動制止　2　刺激性、興奮　3　憂うつ気分
4　自殺企図　5　希死念慮
6　その他（　）

Ⅱ　そう状態
1　行為心迫　2　多弁・多動　3　気分（感情）の異常な高揚・刺激性
4　観念奔逸　5　易怒性・被刺激性亢進　6　誇大妄想
7　その他（　）

Ⅲ　幻覚妄想状態　等
1　幻覚　2　妄想　3　させられ体験　4　思考形式の障害
5　著しい奇異な行為　6　その他（　）

Ⅳ　精神運動興奮状態及び昏迷の状態
1　興奮　2　昏迷　3　拒絶・拒食　4　滅裂思考
5　衝動行為　6　自傷　7　無動・無反応
8　その他（　）

Ⅴ　統合失調症等残遺状態
1　自閉　2　感情の平板化　3　意欲の減退
4　その他（　）

Ⅵ　意識障害・てんかん
1　意識混濁　2　（夜間）せん妄　3　もうろう　4　錯乱
5　てんかん発作　6　不機嫌症　7　その他（　）
・てんかん発作の状態　※発作のタイプは記入上の注意参照
1　てんかん発作のタイプ　（A・B・C・D）
2　てんかん発作の頻度（年間　回、月平均　回、週平均　回　程度）

㋕

Ⅶ　知能障害等
1　知的障害　ア　軽度　イ　中等度　ウ　重度　エ　最重度
2　認知症　ア　軽度　イ　中等度　ウ　重度　エ　最重度
3　高次脳機能障害
ア　失行　イ　失認
ウ　記憶障害　エ　注意障害　オ　遂行機能障害　カ　社会的行動障害
4　学習障害　ア　読み　イ　書き　ウ　計算　エ　その他（　）
5　その他（　）

Ⅷ　発達障害関連症状
1　相互的な社会関係の質的障害　2　言語コミュニケーションの障害
3　限定した常同的で反復的な関心と行動　4　その他（　）

Ⅸ　人格変化
1　欠陥状態　2　無関心　3　無為
4　その他症状等（　）

Ⅹ　乱用、依存等（薬物等名：　）
1　乱用　2　依存

Ⅺ　その他〔　〕

イ　左記の状態について、その程度・症状・処方薬等を具体的に記載してください。

㋖

本人の障害の程度及び状態に無関係な欄には記入する必要はありません。（無関係な欄は、斜線により抹消してください。）

（お願い）臨床所見等は、診療録に基づいてわかる範囲で記入してください。

（お願い）太文字の欄は、記入漏れがないように記入してください。

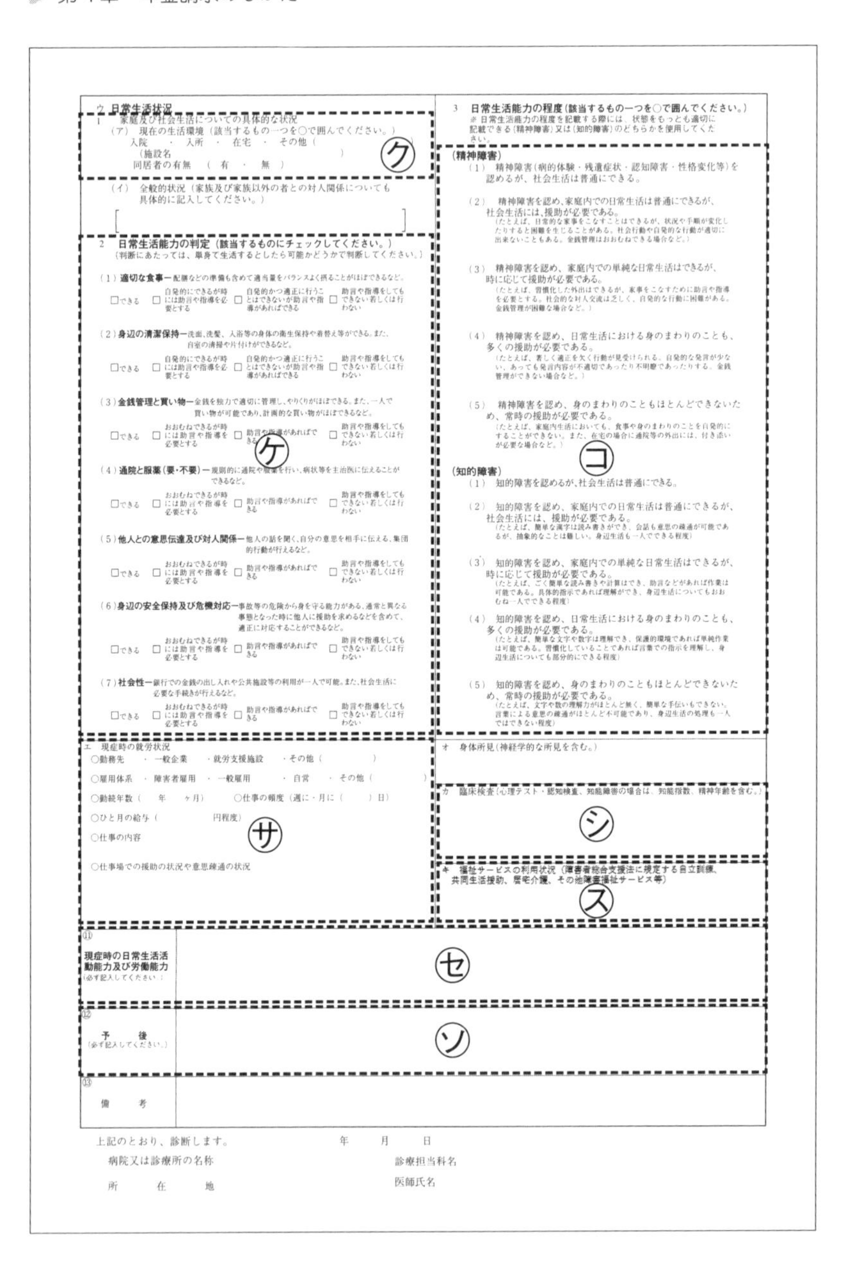

ウ　日常生活状況

1　家庭及び社会生活についての具体的な状況

（ア）現在の生活環境（該当するもの一つを○で囲んでください。）
入院　・　入所　・　在宅　・　その他（　　　）
（施設名　　　　　　）
同居者の有無　（　有　・　無　）

ク

（イ）全般的状況（家族及び家族以外の者との対人関係についても具体的に記入してください。）
［　　　　］

2　日常生活能力の判定（該当するものにチェックしてください。）
（判断にあたっては、単身で生活するとしたら可能かどうかで判断してください。）

（1）**適切な食事**—配膳などの準備も含めて適当量をバランスよく摂ることがほぼできるなど。
□できる　□自発的にできるが時には助言や指導を必要とする　□自発的かつ適正に行うことはできないが助言や指導があればできる　□助言や指導をしてもできない若しくは行わない

（2）**身辺の清潔保持**—洗面、洗髪、入浴等の身体の衛生保持や着替え等ができる。また、自室の清掃や片付けができるなど。
□できる　□自発的にできるが時には助言や指導を必要とする　□自発的かつ適正に行うことはできないが助言や指導があればできる　□助言や指導をしてもできない若しくは行わない

（3）**金銭管理と買い物**—金銭を独力で適切に管理し、やりくりがほぼできる。また、一人で買い物が可能であり、計画的な買い物がほぼできるなど。
□できる　□おおむねできるが時には助言や指導を必要とする　□助言や指導があればできる　□助言や指導をしてもできない若しくは行わない

ケ

（4）**通院と服薬（要・不要）**—規則的に通院や服薬を行い、病状等を主治医に伝えることができるなど。
□できる　□おおむねできるが時には助言や指導を必要とする　□助言や指導があればできる　□助言や指導をしてもできない若しくは行わない

（5）**他人との意思伝達及び対人関係**—他人の話を聞く、自分の意思を相手に伝える、集団的行動が行えるなど。
□できる　□おおむねできるが時には助言や指導を必要とする　□助言や指導があればできる　□助言や指導をしてもできない若しくは行わない

（6）**身辺の安全保持及び危機対応**—事故等の危険から身を守る能力がある、通常と異なる事態となった時に他人に援助を求めるなどを含めて、適正に対応することができるなど。
□できる　□おおむねできるが時には助言や指導を必要とする　□助言や指導があればできる　□助言や指導をしてもできない若しくは行わない

（7）**社会性**—銀行での金銭の出し入れや公共施設等の利用が一人で可能。また、社会生活に必要な手続きが行えるなど。
□できる　□おおむねできるが時には助言や指導を必要とする　□助言や指導があればできる　□助言や指導をしてもできない若しくは行わない

3　**日常生活能力の程度（該当するもの一つを○で囲んでください。）**
※日常生活能力の程度を記載する際には、状態をもっとも適切に記載できる（精神障害）又は（知的障害）のどちらかを使用してください。

（精神障害）

（1）精神障害（病的体験・残遺症状・認知障害・性格変化等）を認めるが、社会生活は普通にできる。

（2）精神障害を認め、家庭内での日常生活は普通にできるが、社会生活には、援助が必要である。
（たとえば、日常的な家事をこなすことはできるが、状況や手順が変化したりすると困難を生じることがある。社会行動や自発的な行動が適切に出来ないこともある。金銭管理はおおむねできる場合など。）

（3）精神障害を認め、家庭内での単純な日常生活はできるが、時に応じて援助が必要である。
（たとえば、習慣化した外出はできるが、家事をこなすために助言や指導を必要とする。社会的な対人交流は乏しく、自発的な行動に困難がある。金銭管理が困難な場合など。）

（4）精神障害を認め、日常生活における身のまわりのことも、多くの援助が必要である。
（たとえば、著しく適正を欠く行動が見受けられる。自発的な発言が少ない、あっても発言内容が不適切であったり不明瞭であったりする。金銭管理ができない場合など。）

（5）精神障害を認め、身のまわりのこともほとんどできないため、常時の援助が必要である。
（たとえば、家庭内生活においても、食事や身のまわりのことを自発的にすることができない。また、在宅の場合に通院等の外出には、付き添いが必要な場合など。）

コ

（知的障害）

（1）知的障害を認めるが、社会生活は普通にできる。

（2）知的障害を認め、家庭内での日常生活は普通にできるが、社会生活には、援助が必要である。
（たとえば、簡単な漢字は読み書きができ、会話も意思の疎通が可能であるが、抽象的なことは難しい。身辺生活も一人でできる程度）

（3）知的障害を認め、家庭内での単純な日常生活はできるが、時に応じて援助が必要である。
（たとえば、ごく簡単な読み書きや計算はでき、助言などがあれば作業は可能である。具体的指示であれば理解ができ、身辺生活についてもおおむね一人でできる程度）

（4）知的障害を認め、日常生活における身のまわりのことも、多くの援助が必要である。
（たとえば、簡単な文字や数字は理解でき、保護的環境であれば単純作業は可能である。習慣化していることであれば言葉での指示を理解し、身辺生活についても部分的にできる程度）

（5）知的障害を認め、身のまわりのこともほとんどできないため、常時の援助が必要である。
（たとえば、文字や数の理解力がほとんど無く、簡単な手伝いもできない。言葉による意思の疎通がほとんど不可能であり、身辺生活の処理も一人ではできない程度）

エ　現症時の就労状況
○勤務先　・一般企業　・就労支援施設　・その他（　　　）
○雇用体系　・障害者雇用　・一般雇用　・自営　・その他（　　　）
○勤続年数（　年　ヶ月）　○仕事の頻度（週に・月に（　）日）
○ひと月の給与（　　　円程度）
○仕事の内容
○仕事場での援助の状況や意思疎通の状況

サ

オ　身体所見（神経学的な所見を含む。）

カ　臨床検査（心理テスト・認知検査、知能障害の場合は、知能指数、精神年齢を含む。）

シ

キ　福祉サービスの利用状況（障害者総合支援法に規定する自立訓練、共同生活援助、居宅介護、その他障害福祉サービス等）

ス

⑪ **現症時の日常生活活動能力及び労働能力**（必ず記入してください。）

セ

⑫ **予後**（必ず記入してください。）

ソ

⑬ 備考

上記のとおり、診断します。　年　月　日
病院又は診療所の名称　　診療担当科名
所在地　　医師氏名

10　気になる箇所はそのままにしない

「障害年金の等級は診断書で決まる」と言われるほど、診断書は等級判定のかなりのウエイトを占めています。不支給となった後、審査請求等で追記・訂正した診断書を提出しても処分変更となる可能性は低いです。そのため、**本章9 完成した診断書を受け取ったら**（☞ 142ページ）のチェックポイントについて、単なる記入漏れや誤解に基づく記述がある場合には役所へ提出前に医師に追記・訂正を依頼します。特に、㋘「2 日常生活能力の判定」と㋙「3 日常生活能力の程度」が**〔表1〕障害等級の目安**（☞ 61ページ）に照らして「2級または3級」または「3級」となっている場合は、以下の対応をお勧めします。

①　実際の状況よりも軽い判定項目を把握する

6 日常生活状況をまとめよう（☞ 130ページ）で準備した日常生活状況の資料よりも軽い判定項目を把握します。

②　医師に判定の理由を聞いてみる

実状よりも軽い判定項目について医師に判定の理由を確認します。合理的なものであれば納得できますが、次の理由であれば再判定が可能かどうか相談してみましょう。

❶　資料（日常生活状況について）を見ておらず本人の日常生活状況を把握していない

〔対応例〕改めて資料（日常生活状況について）に目を通していただく。

❷　単身生活を想定した判定をしていない

〔対応例〕診断書「2 日常生活能力の判定」の下部に赤字で記載された「判断にあたっては、単身で生活するとしたら可能かどうかで判断してください。」をお示しする。

③　変更があれば医師に診断書を訂正してもらう

再判定の結果、重い判定となれば医師に診断書を訂正してもらいます。訂正箇所に取り消し線があれば訂正印は不要です。

11　年金請求書を記入する

診断書の記載内容に不備がないことを確認したら年金請求書（**図表4－11**）を記入します。

年金請求書には、障害厚生年金用と障害基礎年金用の2種類ありますが、「20歳前傷病による障害年金」は薄橙色の障害基礎年金用（様式第107号）を使用します。

㋐　個人番号（マイナンバー）または基礎年金番号のどちらでも構いません。

㋑　原則として住民票住所を記載しますが、居所が異なる場合は例外的に居所（通知書等送付先）を記入したうえで「住民基本台帳による住所の更新停止・解除申出書」を提出します。

㋒　年金の受取口座を指定します。指定する口座が公金受取口座として登録済の場合は□にチェックを入れます。受取口座として指定できる金融機関は以下の通りです。

(1)　ゆうちょ銀行

(2)　都市銀行、地方銀行、信託銀行、信用金庫、信用組合および労働金庫

(3)　農協および漁協

(4)　次のインターネット専業銀行

ソニー銀行・楽天銀行・住信ＳＢＩネット銀行・イオン銀行・PayPay銀行・ＧＭＯあおぞらネット銀行・auじぶん銀行・UI銀行・みんなの銀行・セブン銀行

㋓　加算対象の子がいる場合に記入します。

㋔　他の年金を受け取っておらず、初めての場合は「2.受けていない」に○をします。

㋕　配偶者がいる場合は記入します。

㋖　「1.国民年金法」に○をします。厚生年金の加入歴がある場合は「2.厚生年金保険法」にも○をします。

㋗　請求者の電話番号を記入します。

㋘　「被保険者資格記録回答票の通り相違ありません。」とのみ記入します。

㋙　「2.いいえ」に○をします。

㋚　障害認定日請求は「1.障害認定日による請求」に、事後重症請求は「2.事後重症による請求」に○をします。

㋛　㋚で「2.事後重症による請求」に○をした場合はその理由1～3を選択して○をします。

㋜　「2.いいえ」に○をします。

㋝　診断書「①障害の原因となった傷病名」欄と同じ傷病名を記入します。

㋞　診断書「②傷病の発生年月日」と同じ日付を記入します。

㋟　診断書「③①のため初めて医師の診察を受けた日」と同じ日付を記入します。

㋠　「4.未加入」に○をします。

㋡　「2.いいえ」に○をします。

㋢　「2.いいえ」に○をします。

㋣　「2.いいえ」に○をします。

㋤　「2.いいえ」に○をします。

㋥　加算対象の子がいる場合に記入します。

■図表４−11　年金請求書の記入例

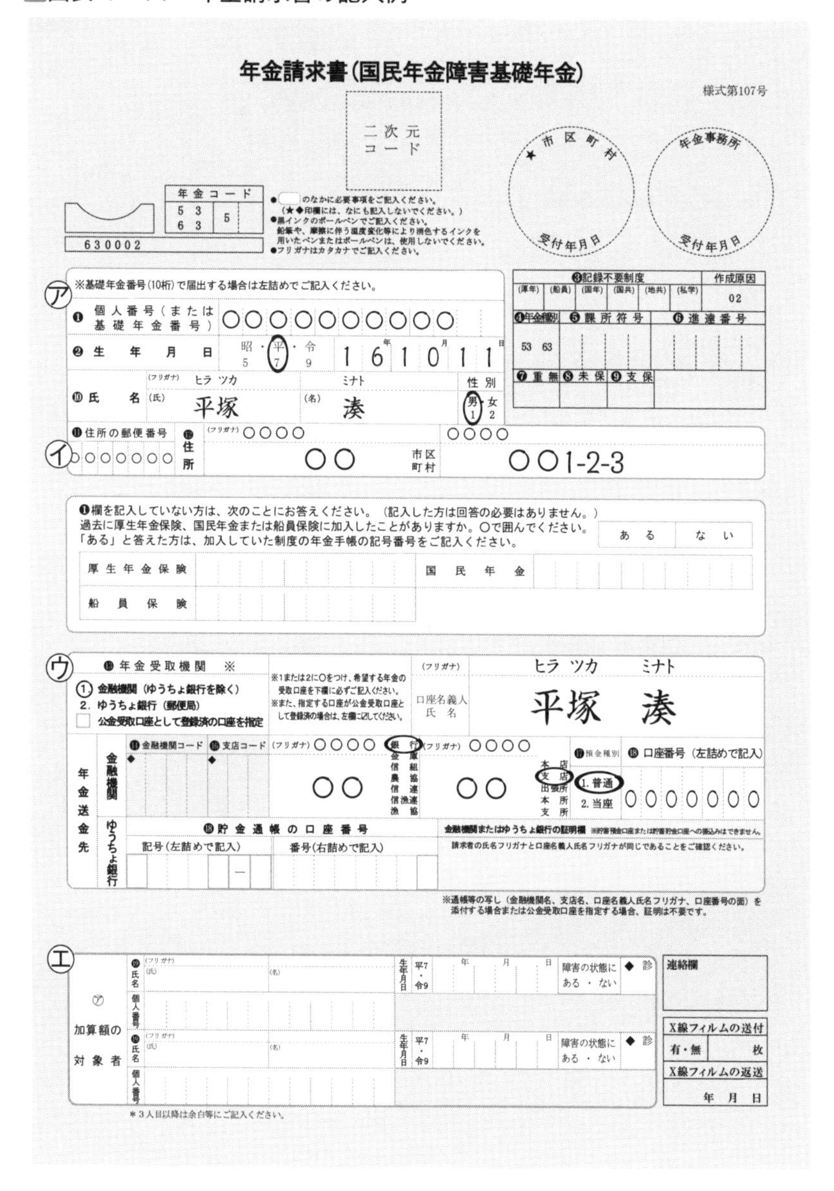

年金請求書（国民年金障害基礎年金）

様式第107号

二次元コード

★市区町村　受付年月日

年金事務所　受付年月日

年金コード		
5 3 6 3	5	

630002

● のなかに必要事項をご記入ください。
（★◆印欄には、なにも記入しないでください。）
●黒インクのボールペンでご記入ください。
鉛筆や、摩擦に伴う温度変化等により消色するインクを用いたペンまたはボールペンは、使用しないでください。
●フリガナはカタカナでご記入ください。

ア

※基礎年金番号（10桁）で届出する場合は左詰めでご記入ください。

❶ 個人番号（または基礎年金番号）　○○○○○○○○○○

❷ 生年月日　昭5・平7・令9　（平7に○）　16 年 10 月 11 日

❿ 氏名　（フリガナ）ヒラ ツカ　ミナト
（氏）平塚　（名）湊
性別　男1（○）・女2

❸記録不要制度　（厚年）（船員）（国年）（国共）（地共）（私学）　作成原因 02

❹年金種別 53 63　❺課所符号　❻進達番号

❼重無　❽未保　❾支保

イ

⓫住所の郵便番号　○○○○○○○

⓬住所　（フリガナ）○○○○　○○ 市区町村　○○○○　○○1-2-3

❶欄を記入していない方は、次のことにお答えください。（記入した方は回答の必要はありません。）
過去に厚生年金保険、国民年金または船員保険に加入したことがありますか。○で囲んでください。　ある　ない
「ある」と答えた方は、加入していた制度の年金手帳の記号番号をご記入ください。

厚生年金保険　　　国民年金

船員保険

ウ

⓭年金受取機関　※
1.（○）金融機関（ゆうちょ銀行を除く）
2. ゆうちょ銀行（郵便局）
□ 公金受取口座として登録済の口座を指定

※1または2に○をつけ、希望する年金の受取口座を下欄に必ずご記入ください。
※また、指定する口座が公金受取口座として登録済の場合は、左欄に☑してください。

（フリガナ）ヒラ ツカ　ミナト
口座名義人氏名　平塚　湊

年金送金先

金融機関　⓮金融機関コード◆　⓯支店コード◆
（フリガナ）○○○○　○○　銀行（○）・金庫・信組・農協・信連・信漁連・漁協
（フリガナ）○○○○　○○　本店・支店（○）・出張所・本所・支所
⓱預金種別　1. 普通（○）　2. 当座
⓲口座番号（左詰めで記入）　○○○○○○○

ゆうちょ銀行　⓲貯金通帳の口座番号
記号（左詰めで記入）　番号（右詰めで記入）

金融機関またはゆうちょ銀行の証明欄　※貯蓄預金口座または貯蓄貯金口座への振込みはできません。
請求者の氏名フリガナと口座名義人氏名フリガナが同じであることをご確認ください。

※通帳等の写し（金融機関名、支店名、口座名義人氏名フリガナ、口座番号の面）を添付する場合または公金受取口座を指定する場合、証明は不要です。

エ

⑦ 加算額の対象者

⓳氏名（フリガナ）（氏）（名）　生年月日 平7・令9 年 月 日　障害の状態に ある・ない　◆診
個人番号

⓳氏名（フリガナ）（氏）（名）　生年月日 平7・令9 年 月 日　障害の状態に ある・ない　◆診
個人番号

＊3人目以降は余白等にご記入ください。

連絡欄

X線フィルムの送付　有・無　枚

X線フィルムの返送　年 月 日

㋑ あなたは現在、公的年金制度等（表１参照）から年金を受けていますか。○で囲んでください。

オ

1.受けている	②受けていない	3.請求中	制度名（共済組合名等）	年金の種類

受けていると答えた方は下欄に必要事項をご記入ください（年月日は支給を受けることになった年月日をご記入ください）。

制度名（共済組合名等）	年金の種類	年　月　日	年金証書の年金コードまたは記号番号等
		. .	
		. .	
		. .	

	36 年金コードまたは共済組合コード・年金種別
1	
2	
3	
37 他年金種別	

「年金の種類」とは、老齢または退職、障害、遺族をいいます。

※あなたの配偶者について、ご記入ください。

(フリガナ) 氏　名	生年月日	基礎年金番号
カ		

ご注意

配偶者が受給している年金の加給年金額の対象となっている場合、あなたが障害基礎年金を受けられるようになったときは、受給している加給年金額は受けられなくなります。

この場合は、配偶者の方より、「老齢・障害給付加給年金額支給停止事由該当届」をお近くの年金事務所または街角の年金相談センターへ提出していただく必要があります。

38 上・外	39 初診年月日	40 障害認定日	41 傷病名コード	41 診断書	42 等級	43 有	43 有年	44 三	45 差引
上・外 1　2	元号　年　月　日	元号　年　月　日					元号		

46 受給権発生年月日	47 停止事由	47 停止期間	48 条文	失権事由	失権年月日
元号　年　月　日		元号　年　月　元号　年　月			元号　年　月　日

49 共済コード　共済記録 1	2
元号　年　月　日　元号　年　月　日　要件　計算	元号　年　月　日　元号　年　月　日　要件　計算
3	50　4
元号　年　月　日　元号　年　月　日　要件　計算	元号　年　月　日　元号　年　月　日　要件　計算
5	6
元号　年　月　日　元号　年　月　日　要件　計算	元号　年　月　日　元号　年　月　日　要件　計算
51　7	8
元号　年　月　日　元号　年　月　日　要件　計算	元号　年　月　日　元号　年　月　日　要件　計算
9	
元号　年　月　日　元号　年　月　日　要件　計算	

53 時効区分	

★ 市区町村からの連絡事項	未納保険料の納付	有　昭和・平成・令和　年　月分から 無　昭和・平成・令和　年　月分まで	差額保険料の未納分の納付	有　昭和・平成・令和　年　月分から 無　昭和・平成・令和　年　月分まで
	保険料の追納	有　昭和・平成・令和　年　月分から 無　昭和・平成・令和　年　月分まで	検認票の添付	有・無

㋒ 次の年金制度の被保険者または組合員等となったことがあるときは、その番号を○で囲んでください。

キ ①国民年金法　2. 厚生年金保険法　3. 船員保険法（昭和61年4月以後を除く）
4. 廃止前の農林漁業団体職員共済組合法　5. 国家公務員共済組合法　6. 地方公務員等共済組合法
7. 私立学校教職員共済法　8. 旧市町村職員共済組合法　9. 地方公務員の退職年金に関する条例　10. 恩給法

㋓ 履　歴（公的年金制度加入経過）
※できるだけくわしく、正確にご記入ください。

ク 請求者の電話番号（ 000 ）－（ 0000 ）－（ 0000 ）
勤務先の電話番号（ 　 ）－（ 　 ）－（ 　 ）

	(1) 事業所（船舶所有者）の名称および船員であったときはその船舶名	(2) 事業所（船舶所有者）の所在地または国民年金加入時の住所	(3) 勤務期間または国民年金の加入期間	(4) 加入していた年金制度の種類	(5) 備考
最初			・　・　から ・　・　まで	1. 国民年金 2. 厚生年金保険 3. 厚生年金(船員)保険 4. 共済組合等	
2	ケ 被保険者資格記録回答票のとおり相違ありません。		・　・　から ・　・　まで	1. 国民年金 2. 厚生年金保険 3. 厚生年金(船員)保険 4. 共済組合等	
3			・　・　から ・　・　まで	1. 国民年金 2. 厚生年金保険 3. 厚生年金(船員)保険 4. 共済組合等	
4			・　・　から ・　・　まで	1. 国民年金 2. 厚生年金保険 3. 厚生年金(船員)保険 4. 共済組合等	
5			・　・　から ・　・　まで	1. 国民年金 2. 厚生年金保険 3. 厚生年金(船員)保険 4. 共済組合等	
6			・　・　から ・　・　まで	1. 国民年金 2. 厚生年金保険 3. 厚生年金(船員)保険 4. 共済組合等	
7			・　・　から ・　・　まで	1. 国民年金 2. 厚生年金保険 3. 厚生年金(船員)保険 4. 共済組合等	
8			・　・　から ・　・　まで	1. 国民年金 2. 厚生年金保険 3. 厚生年金(船員)保険 4. 共済組合等	
9			・　・　から ・　・　まで	1. 国民年金 2. 厚生年金保険 3. 厚生年金(船員)保険 4. 共済組合等	
10			・　・　から ・　・　まで	1. 国民年金 2. 厚生年金保険 3. 厚生年金(船員)保険 4. 共済組合等	
11			・　・　から ・　・　まで	1. 国民年金 2. 厚生年金保険 3. 厚生年金(船員)保険 4. 共済組合等	
12			・　・　から ・　・　まで	1. 国民年金 2. 厚生年金保険 3. 厚生年金(船員)保険 4. 共済組合等	

㋔ 個人で保険料を納める第四種被保険者、船員保険の年金任意継続被保険者となったことがありますか。	コ 1. はい　②いいえ
「はい」と答えた方は、保険料を納めた年金事務所の名称をご記入ください。	
その保険料を納めた期間をご記入ください。	昭和・平成・令和　年　月　日から　昭和・平成・令和　年　月　日
第四種被保険者（船員年金任意継続被保険者）の整理記号番号をご記入ください。	（記号）　（番号）

㋕ 必ずご記入ください。

サ (1) この請求は左の頁にある「障害給付の請求事由」の1から3までのいずれに該当しますか。該当する番号を○で囲んでください。
①障害認定日による請求　2. 事後重症による請求　3. 初めて障害等級の1級または2級に該当したことによる請求

シ 「2」を○で囲んだときは右欄の該当する理由の番号を○で囲んでください。
1. 初診日から1年6月目の状態で請求した結果、不支給となった。
2. 初診日から1年6月目の症状は軽かったが、その後悪化して症状が重くなった。
3. その他（理由　　　　）

ス (2) 過去に障害給付を受けたことがありますか。　1. は い　②いいえ
「1. はい」を○で囲んだときは、その障害給付の名称と年金証書の基礎年金番号および年金コード等をご記入ください。
名称：
基礎年金番号・年金コード等：

(3) 障害の原因である傷病についてご記入ください。

	1.	2.	3.
セ 傷病名	知的障害		
ソ 傷病の発生した日	昭和・(平成)・令和 16年10月11日	昭和・平成・令和 年 月 日	昭和・平成・令和 年 月 日
タ 初診日	昭和・(平成)・令和 16年10月11日	昭和・平成・令和 年 月 日	昭和・平成・令和 年 月 日
チ 初診日において加入していた年金制度	1.国年 2.厚年 3.共済 ④未加入	1.国年 2.厚年 3.共済 4.未加入	1.国年 2.厚年 3.共済 4.未加入
ツ 現在傷病はなおっていますか。	1. は い　②いいえ	1. は い　2. いいえ	1. は い　2. いいえ
なおっているときは、なおった日	昭和・平成・令和 年 月 日	昭和・平成・令和 年 月 日	昭和・平成・令和 年 月 日

テ 傷病の原因は業務上ですか。　1. は い　②いいえ

この傷病について右に示す制度から保険給付が受けられるときは、その番号を○で囲んでください。請求中のときも同様です。
1. 労働基準法　2. 労働者災害補償保険法
3. 船員保険法　4. 国家公務員災害補償法
5. 地方公務員災害補償法
6. 公立学校の学校医、学校歯科医及び学校薬剤師の公務災害補償に関する法律

受けられるときは、その給付の種類の番号を○で囲み、支給の発生した日をご記入ください。
1. 障害補償給付（障害給付）　2. 傷病補償給付（傷病年金）
昭和・平成・令和　年　月　日

ト 障害の原因は第三者の行為によりますか。　1. は い　②いいえ

障害の原因が第三者の行為により発生したものであるときは、その者の氏名および住所をご記入ください。
氏名：
住所：

ナ (4) 国民年金に任意加入した期間について特別一時金を受けたことがありますか。　1. は い　②いいえ

㋖ 生計維持申立

生計同一関係

右の子は請求者と生計を同じくしていることを申し立てる。
令和　年　月　日
請求者　住所
　　　　氏名
ニ

	氏名	続柄
子		

収入関係

1. 請求者によって生計維持していた子についてご記入ください。		※確認欄
(1)（名：　　　）について年収は、850万円未満ですか。	はい・いいえ	(　)印
(2)（名：　　　）について年収は、850万円未満ですか。	はい・いいえ	(　)印
(3)（名：　　　）について年収は、850万円未満ですか。	はい・いいえ	(　)印
2. 上記1で「いいえ」と答えた子のうち、その子の収入はこの年金の受給権発生時においては、850万円未満ですか。	はい・いいえ	

※年金事務所の確認事項
ア. 健保等被扶養者
イ. 国民年金保険料免除世帯
ウ. 義務教育終了前
エ. 高等学校在学中
オ. 源泉徴収票・課税証明書等

令和　年　月　日提出

児童扶養手当の受給者の方やその配偶者が、公的年金制度から年金を受け取るようになったり、年金額が改定されたときは、市区町村から支給されている児童扶養手当が支給停止または一部支給停止される場合があります。詳しくは、お住まいの市区町村の児童扶養手当担当窓口にお問い合わせください。

12　年金生活者支援給付金も請求しよう

年金生活者支援給付金は令和元年10月にスタートした新しい制度で、消費税が10%に引き上げられたのと同時に始まりました。

この制度は、消費税率引上げ分を活用し、年金を含めても一定の水準以下の収入にしかならない年金受給者に対して、生活の支援を図ることを目的としています。年金生活者支援給付金は「給付金」なので、通常の年金とは別のものです。返済の義務もありませんので、安心して利用することができます。

年金生活者支援給付金には3種類（老齢・障害・遺族）ありますが、ここでは障害年金生活者支援給付金のみ解説します。

（ア）　支給要件

対象となるのは、次の❶❷どちらも満たしている方です。

❶　障害基礎年金の受給者である。

❷　前年の所得（※1）が4,721,000円（※2）以下である。

※1　障害年金等の非課税収入は、年金生活者支援給付金の判定に用いる所得には含まれません。

※2　扶養親族等の数に応じて増額。

（イ）　支給額

年金生活者支援給付金の額は、物価の変動に応じて、毎年度改定を行うしくみとなっています。令和6年度の支給額（月額）は障害等級により次の通りです。

1級：6,638円
2級：5,310円

（ウ）請求のタイミング

年金生活者支援給付金は、自動的に支給されることはなく、対象となる方は自分から請求する必要があります。障害年金の請求書提出と同時に年金生活者支援給付金請求書（**図表4－12**）を提出します。

■図表4－12　年金生活者支援給付金請求書

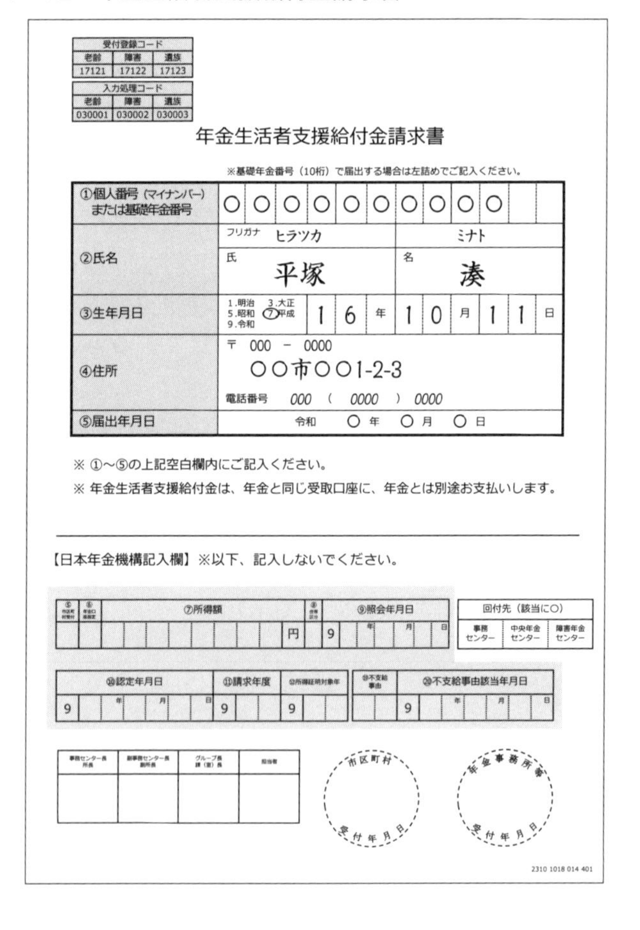

受付登録コード		
老齢	障害	遺族
17121	17122	17123

入力処理コード		
老齢	障害	遺族
030001	030002	030003

年金生活者支援給付金請求書

※基礎年金番号（10桁）で届出する場合は左詰めでご記入ください。

①個人番号（マイナンバー）または基礎年金番号	○○○○○○○○○○
②氏名	フリガナ　ヒラツカ　ミナト 氏　平塚　名　湊
③生年月日	1.明治　3.大正　5.昭和　⑦平成　9.令和　16年10月11日
④住所	〒000－0000 ○○市○○1-2-3 電話番号　000（0000）0000
⑤届出年月日	令和　○年　○月　○日

※ ①～⑤の上記空白欄内にご記入ください。
※ 年金生活者支援給付金は、年金と同じ受取口座に、年金とは別途お支払いします。

【日本年金機構記入欄】※以下、記入しないでください。

⑤	⑥	⑦所得額	⑧	⑨照会年月日
		円		9　年　月　日

回付先（該当に○）		
事務センター	中央年金センター	障害年金センター

⑩認定年月日	⑪請求年度	⑫所得証明対象年	⑲不支給事由	⑳不支給事由該当年月日
9　年　月　日	9	9		9　年　月　日

事務センター長 所長	副事務センター長 副所長	グループ長 課（室）長	担当者

市区町村　受付年月日
年金事務所等　受付年月日

2310 1018 014 401

（エ）給付開始時期

年金生活者支援給付金は障害年金支給決定の後に給付要件の審査が行われるため、障害年金の初回支給月から1～2か月遅れで支給されます。

支給日は障害年金と同じく偶数月の15日（土・日・祝日の場合は直前の平日）ですが、初回支給月に限り奇数月になることがあります。

原則として、請求月の翌月分から支給対象です。ただし、障害認定日請求に限り、障害認定日から3か月以内に年金生活者支援給付金の請求を行えば、障害認定日に請求を行ったものとみなし遡って支給されます。

次の❶～❸のいずれかの事由に該当した場合は、給付金は支給されません。

❶　日本国内に住所がないとき
❷　年金が全額支給停止のとき
❸　刑事施設等に拘禁されているとき

「20歳前傷病による障害年金」を請求する多くの方が年金生活者支援給付金にも該当します。年金生活者支援給付金も併せて請求するようにしましょう。

13　請求書類を整えて提出する

診断書や病歴・就労状況等申立書などの添付書類がそろったら、役所へ提出の準備をします。次のチェックリストを参考にしてください。

年金事務所、市町村役場のどちらでも提出可能ですが、年金事務所は予約が取りにくいため、市町村役場にある障害基礎年金の担当窓口への提出がお勧めです。

なお、不服申立や更新のときに必要となるため、診断書や病歴・就労状況等申立書などの添付書類は保管用にコピーを取っておくようにします。

<共通して必要になるもの>

□年金請求書 （国民年金障害基礎年金）	年金事務所または市町村役場で書式を受け取り、本人または家族等が記入したもの。 （☞ **149ページ** 本章11 年金請求書を記入する）
□診断書	年金事務所または市町村役場で書式を受け取り、医師が作成したもの。 （☞ **140ページ** 本章8 医師に診断書作成を依頼する）
□病歴・就労状況等申立書と別紙	年金事務所または市町村役場で書式を受け取り、本人または家族等が記入したもの。 （☞ **132ページ** 本章7 病歴・就労状況等申立書を書いてみよう）

□金融機関の通帳コピー	表紙を開いた１ページ目【金融機関名・支店名・口座名義人名・口座番号が載っているページ】をコピーしたもの。 ネット銀行等通帳がない場合は、金融機関名、支店名、口座名義（カタカナ）、口座番号が確認できる画面をプリントアウトしたもの。
□年金生活者支援給付金請求書	年金事務所または市町村役場で書式を受け取り、本人または家族等が記入したもの。 （☞ **155ページ** 本章12 年金生活者支援給付金も請求しよう）

＜該当する場合のみ必要になるもの＞

□委任状	本人不在かつ家族等の代理人が手続きする際に必要です。 （☞ **113ページ** 本章４ 役所の窓口で必要書類を受け取る）
□療育手帳等のコピー	療育手帳、精神障害者保健福祉手帳、身体障害者手帳を所持している場合、そのコピーを提出します。
□障害給付請求事由確認書	年金事務所または市町村役場で書式を受け取り、本人または家族等が記入したもの。 障害認定日から１年経過以降に障害認定日請求を行う際に提出します。 これは「認定日請求が認められなかった場合には、事後重症請求を行います」という意思を示すものになります。
□年金裁定請求の遅延に関する申立書	年金事務所または市町村役場で書式を受け取り、本人または家族等が記入したもの。 障害認定日から５年経過以降に障害認定日請求を行う際、「障害給付 請求事由確認書」とセットで提出します。 これは「時効※が完成している５年を経過した年金は支給がない旨を理解しています」という意思を示すものになります。 ※　年金の支給を受ける権利（支分権）は、基本的に５年を経過したときは時効によって消滅します。

＜任意の提出資料＞

就労・就学中に請求する際、情報補完を目的に職場や学校での合理的配慮の度合いを示す資料を任意で提出することができます。

□就労状況の資料	「就労状況に関する第三者の意見書」等、職場での合理的配慮について記載された書類を準備した場合のみ提出します。 （☞ **93 ページ** 第３章 ２ 就労が不利に扱われないための対策）
□就学状況の資料	「就学状況に関する第三者の意見書」等、学校での合理的配慮について記載された書類を準備した場合のみ提出します。 （☞ **97 ページ** 第３章 ３ 就学・教育歴は診査に影響するか）

＜加算対象の子がいる場合のみ＞

生計を維持している子が以下のいずれかに該当すると加算対象になります。

・18 歳到達年度の末日までにある子

・20 歳未満で障害等級の１級または２級に該当する程度の障害の状態にある子

□戸籍謄本	家族関係を明らかにするため戸籍謄本を提出します。 【有効期限】 障害認定日請求：障害認定日以降、かつ、請求日から６か月以内に発行されたもの 事後重症請求：請求日から１か月以内に発行されたもの
□子の在学証明書または学生証のコピー	加算対象の子が義務教育終了後、高等学校等に在籍している場合に提出します（義務教育終了前の子については不要）。 義務教育終了後、就労している場合は所得証明書を提出します（マイナンバーの記載で省略できる場合あり）。

□子の診断書	20歳未満かつ障害等級の1級または2級に該当する程度の障害の状態にある子がいる場合のみ（特別児童扶養手当の診断書コピーで代替可）。
□子の療育手帳等のコピー	療育手帳、精神障害者保健福祉手帳、身体障害者手帳を所持している場合、そのコピーを提出します。

14　支給決定までの期間

障害年金の審査期間は、順調に進めば３か月程度です。

支給決定の場合は、東京の日本年金機構本部から請求者へ年金証書が郵送されます。

年金証書は、長形３号（Ａ４横三つ折り）サイズの封筒に封入されており、月曜日または火曜日に普通郵便で到着することが多いです。

<審査の進捗状況を知るには>

障害年金センター審査状況確認専用ダイヤルへ問い合わせることができます。ただし、確認できるのは審査の進捗状況と結果通知の発送時期のみです。結果や審査に関する中身までは知ることができません。

審査状況確認専用ダイヤル	
電話番号	03-5155-1933
受付時間	平日８：30～17：30

電話がつながったら、オペレーターに以下の請求者情報を伝えます。

・基礎年金番号
・氏名
・生年月日
・住所

オペレーターから請求書受付の窓口（年金事務所等の名称）と受付日の確認に続き、審査状況の回答があります。回答のパターンは、おおむね次の❶～❹です。

❶「ただいま審査中です」
→少なくとも、あと１か月以上はかかると理解しましょう。
❷「審査は終了しており、結果通知の発送に向けて準備中です」
→１か月以内に結果通知が到着する可能性が高いです。
❸「今週末に発送予定です」
→翌週の月曜日または火曜日に結果通知が到着する可能性が高いです。
❹「既に○月○日に発送済です」
→１週間以上前であれば、既に届いていて家族が保管していたり、他の郵便物に紛れ込んでいたりする可能性があるので確認しましょう。それでも見つからないときは、何らかの事情で日本年金機構へ返送されている可能性があります。また、年金事務所にて再交付申請書を提出すれば、再交付された年金証書を送付してもらえます。

＜審査遅延の通知書が届くこともある＞

審査期間が３か月を経過すると、通知書「年金請求書の審査遅延について」（**図表４－13**）が届きます。

図表４－13　審査遅延の通知書

〒000-0000
○○市○○1-1-1
○○　○○様

日本年金機構　障害年金センター長

年金請求書（国民年金障害基礎年金）の審査遅延について

年金請求書（国民年金障害基礎年金）の審査結果については、受付日から３か月以内にお知らせするよう努めております。
しかしながら、お客様からの年金請求に関しては、下記の理由により審査に時間を要しているため、審査結果をお知らせできておりません。誠に申し訳ございません。
現在、一日も早くお知らせできるよう審査を進めておりますので、今しばらくお待ちいただきますようお願いいたします。
なお、現在の状況についてお問い合わせの際は、下記の「基礎年金番号」を担当にお知らせください。

氏名	○○　○○　様分
基礎年金番号	0000-000000
請求書受付日	令和06年10月10日
理由	障害状態等の確認に時間を要するため

【お問合せ先】
日本年金機構
障害年金センター　障害年金の審査状況確認専用ダイヤル
電話番号　03-5155-1933
※審査結果は書面でお知らせします。電話ではお知らせしませんのでご了承ください。

遅延理由に「障害状態等の確認に時間を要するため」と記載されているので、「不支給になるのでは」などと悲観的に考えてしまう方が多いです。ニュアンスはあたかも「合否を吟味している」ように感じますが、実際には「障害状態等の確認」の「等」の部分であることがほとんどで、「障害状態の確認」そのものに時間を要していることは意外と少ないです。「等」の例で多いのが、マイナンバー連携しているはずの課税証明書が何かしらの原因で取れなかったり、年金記録上の不整合があるなど、事務処理の都合によるものです。

「審査遅延の通知書」と審査結果に相関関係はありません。審査が遅延しているから必ず不支給になるということではありませんので、ネガティブに受け止めず結果を待つようにしましょう。

15　年金決定通知書・年金証書の見方

障害年金の支給が決定したら、年金証書（**図表4－14**）が届きますが、初めての方にとってはわかりにくい書類かもしれません。沢山の文字や数字が並んでいますが、障害基礎年金は4か所の情報を確認すれば十分です。

❶　支払開始年月

記載された年月から支払対象となります。年金証書の上部青色の枠内にある「受給権を取得した年月」の翌月になります。

❷　年金額

障害基礎年金の年間支給額（令和6年度）は2級で816,000円、1級はその1.25倍の1,020,000円です。

また、加算対象の子がいる場合、2人まで1人につき234,800円、3人目以降は1人につき78,300円が加算されます。

❸　障害等級

決定した等級と号数が記載されています。この号数は「国民年金法施行令別表」で障害別に定められており、知的・発達障害を含む精神の障害は「2級16号」「1級10号」になります。

❹　次回診断書提出年月

更新（次回診断書提出）年月が記載されています。基本的に1～5年後の誕生月となりますが、稀に更新不要（永久認定）の「※※年※※月」となることがあります。

■図表4－14　年金証書の例

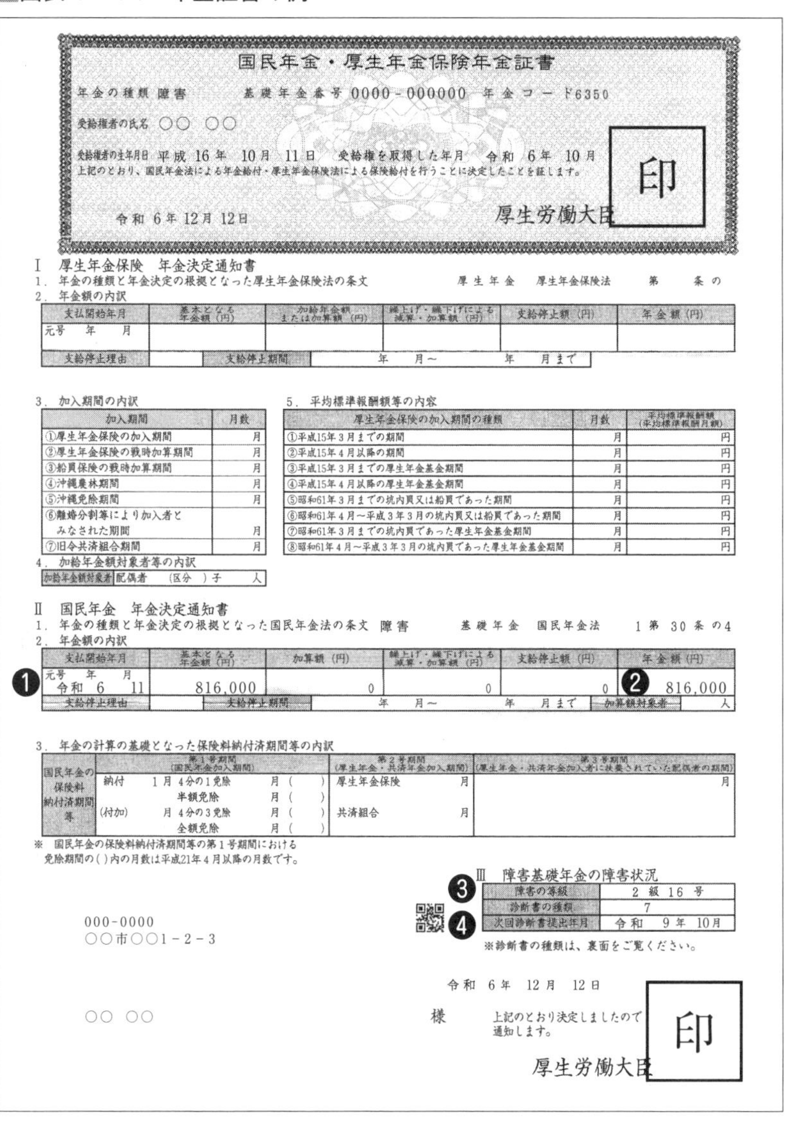

国民年金・厚生年金保険年金証書

年金の種類 障害　　基礎年金番号 0000-000000　年金コード6350

受給権者の氏名 ○○　○○

受給権者の生年月日 平成 16年 10月 11日　受給権を取得した年月 令和 6年 10月

上記のとおり、国民年金法による年金給付・厚生年金保険法による保険給付を行うことに決定したことを証します。

令和 6年 12月 12日　　厚生労働大臣 印

Ⅰ　厚生年金保険　年金決定通知書

1．年金の種類と年金決定の根拠となった厚生年金保険法の条文　　厚生年金　厚生年金保険法　第　条の

2．年金額の内訳

支払開始年月	基本となる年金額（円）	加給年金額または加算額（円）	繰上げ・繰下げによる減算・加算額（円）	支給停止額（円）	年金額（円）
元号　年　月					

支給停止理由		支給停止期間	年　月～　年　月まで

3．加入期間の内訳

加入期間	月数
①厚生年金保険の加入期間	月
②厚生年金保険の戦時加算期間	月
③船員保険の戦時加算期間	月
④沖縄農林期間	月
⑤沖縄免除期間	月
⑥離婚分割等により加入者とみなされた期間	月
⑦旧令共済組合期間	月

4．加給年金額対象者等の内訳

加給年金額対象者	配偶者　（区分　）子　人

5．平均標準報酬額等の内容

厚生年金保険の加入期間の種類	月数	平均標準報酬額（平均標準報酬月額）
①平成15年3月までの期間	月	円
②平成15年4月以降の期間	月	円
③平成15年3月までの厚生年金基金期間	月	円
④平成15年4月以降の厚生年金基金期間	月	円
⑤昭和61年3月までの坑内員又は船員であった期間	月	円
⑥昭和61年4月～平成3年3月の坑内員又は船員であった期間	月	円
⑦昭和61年3月までの坑内員であった厚生年金基金期間	月	円
⑧昭和61年4月～平成3年3月の坑内員であった厚生年金基金期間	月	円

Ⅱ　国民年金　年金決定通知書

1．年金の種類と年金決定の根拠となった国民年金法の条文 障害　　基礎年金　国民年金法　1第 30条の4

2．年金額の内訳

支払開始年月	基本となる年金額（円）	加算額（円）	繰上げ・繰下げによる減算・加算額（円）	支給停止額（円）	年金額（円）
❶ 元号　年　月 令和 6　11	816,000	0	0	0	❷ 816,000

支給停止理由		支給停止期間	年　月～　年　月まで	加算額対象者	人

3．年金の計算の基礎となった保険料納付済期間等の内訳

	第1号期間（国民年金加入期間）	第2号期間（厚生年金・共済年金加入期間）	第3号期間（厚生年金・共済年金加入者に扶養されていた配偶者の期間）
国民年金の保険料納付済期間等	納付　1月　4分の1免除　月（　） 半額免除　月（　） （付加）　月　4分の3免除　月（　） 全額免除　月（　）	厚生年金保険　月 共済組合　月	月

※　国民年金の保険料納付済期間等の第1号期間における免除期間の（ ）内の月数は平成21年4月以降の月数です。

Ⅲ　障害基礎年金の障害状況

❸ 障害の等級	2級 16号
診断書の種類	7
❹ 次回診断書提出年月	令和 9年 10月

※診断書の種類は、裏面をご覧ください。

000-0000
○○市○○1-2-3

○○　○○　様

令和 6年 12月 12日

上記のとおり決定しましたので通知します。

厚生労働大臣 印

16　年金はいつから支給される？

年金証書が届いたら、あとは年金の支払いを待つのみです。

年金は、請求者が年金請求書に記入した金融機関口座に年6回に分けて振込みで支払われます。支払月は偶数月の15日（土日祝は直前の平日）で、それぞれの支払月には、その前月（奇数月）までの年金が支払われます。

ただし、初回支払日のみ奇数月の15日（土日祝は直前の平日）となることもあります。どちらの場合でも、直前の奇数月までの年金が支払われます。どちらになるかは、年金証書（年金決定通知書）の発行日を確認します。日本年金機構の事務処理が遅れなければ、初回支払日はおおむね次の通りになります。

年金証書の発行日	初回支払日
月の前半（1日～16日または17日）	翌月の15日（土日祝は直前の平日）
月の後半（17日または18日～末日）	翌々月の15日（土日祝は直前の平日）

前掲の年金証書（**図表4－14**）を例にすると、支払開始年月「令和6年11月」、発行年月日「令和6年12月12日」となっています。この場合、初回支払日は令和7年1月15日となり、令和6年11月の1か月分が支払われます。詳細は、初回支払日の約1週間前に届く「年金支払通知書」で確認することができます。

コラム④

特別児童扶養手当の診断書（写）で代用できる？

特別児童扶養手当とは、20歳未満の精神または身体に障害を有する児童を家庭で監護する父母または養育者に対して支給される手当です。

特別児童扶養手当と障害年金の障害等級表は同一であることから、障害年金の請求時は、新たに年金の診断書を取得せずとも、特別児童扶養手当の診断書（写）で代用できることになっています。日本年金機構の障害年金審査業務マニュアルには、「特別児童扶養手当の支給対象となっていた方は、年金の診断書を省略し、特別児童扶養手当の診断書（写）を提出することも可能である」とあります。

障害年金のために新たな診断書を取得する必要がないので、特別児童扶養手当の診断書（写）で代用することが便利に思えますが、懸念点もあります。

① 地域差が大きい

特別児童扶養手当の等級判定は各自治体で行われています。「特別児童扶養手当（精神の障害）の認定事務の適正化に向けた調査研究」（研究代表者：本田秀夫、令和3年3月）によれば、自治体ごとの認定率（1級または2級と判定される比率）は33.6％から100％でした。自治体間で等級判定に大きな差がある制度に基づいて認定された診断書（写）で代用することには不安があります。

② 診断書様式の違い

特別児童扶養手当と障害年金の診断書様式は大きく異なります。障害年金の診断書の「日常生活能力の判定」に相当する特別児童扶養手当の診断書の「日常生活能力の程度」の項目を見ると、食事（全介助・半介助・自立）など各項目は3～4段階評価になっています。「自立」と「半介助」の間にある「一部介助」の状態にある場合、選択肢がないので医師はやむを得ず軽いほうの「自立」を選択している可能性があります。また、評価軸が異なる診断書をどのように変換して障害年金の等級にあてはめるのかなど、判定方法が不透明です。

③　年金用の診断書を求められる可能性

前出の業務マニュアルに「特別児童扶養手当の診断書の写しでも受付可能。ただし、認定不能の場合は、年金用の診断書が必要となる」とあります。役所窓口で受け付けてもらった後、日本年金機構の障害認定医が等級判定を行う際、認定不能と判断されると、追加で年金用診断書の提出を求められます。

④　更新（再認定）

20歳で請求する際、特別児童扶養手当の診断書写しで代用した場合でも1～5年後に更新（再認定）（☞ **203ページ** 第6章2 更新（再認定）の手続きについて）はあります。その際、前回の診断書データがないので、医師が障害状態確認届を作成するのに時間がかかる可能性があります。また、前回の診断書との比較ができないので、同じ等級で継続受給できるか心配なまま更新の手続きをすることになります。

特別児童扶養手当の診断書（写）による代用をお勧めするのは、何らかの事情で診断書の指定期間（障害認定日前後3か月以内）に医師の診察を受けられなかったケースです。何年か経過してから「20歳前傷病の障害年金」で年金請求する場合、障害認定日の診断書は取得できないので、原則として遡及請求はできません。しかし、特別児童扶養手当の診断書（写）があれば、障害認定日の診断書の代わりになるので遡及請求が可能になります。

第5章

不服申立制度について

1　決定に納得ができないときの不服申立制度

この章では不服申立制度の全体像・流れを解説していますが、手続きはとても複雑です。また、期限（審査請求は３か月以内）があるため、時間との勝負でもあります。決定に納得できないときは、障害年金に詳しい社会保険労務士や弁護士に、なるべく早く相談することをお勧めします。

障害年金は、必要書類をそろえて請求手続をすれば必ず受け取れるというものではありません。年金事務所等の役所窓口では、３つの必須要件（☞ **19ページ 第１章１ 障害年金制度のしくみ**）のうち、初診日要件と保険料納付要件はあらかじめ確認してもらうことができます。

ところが、障害状態要件は、東京にある日本年金機構障害年金センターの障害認定医が診断書等を基に審査します。

そのため、請求手続を完了した時点では、障害基礎年金の障害状態要件である障害等級１級または２級に該当しているか否かを知ることができません。審査の結果、障害等級１級または２級に該当せず**不支給**なってしまうことや、１級を想定していたものの２級と決定されてしまうことがあります。

また、初診日が古いため受診状況等証明書を取得できず、「請求者が提出した書類では初診日の確認ができない」などの理由で**却下**になることもあります。このような決定に納得できないときは**不服申立制度**を利用することができます。

<不服申立制度のしくみ>

障害年金についての審査結果に納得できない場合、不服申立という制度によって再度審査をしてもらうことができます。

不服申立の審査は2段階で行われます（二審制）。1段階目（一審）は地方厚生局の社会保険審査官に対して**審査請求**を行います。その結果にも納得がいかない場合は、2段階目（二審）の厚生労働省に設置された社会保険審査会に対して**再審査請求**を行います。

それでも納得がいかない場合は、最終的には行政訴訟という裁判によって決定することになります。なお、この行政訴訟は、一審の審査請求の決定後であれば、二審の再審査請求を経ることなく提起することができます（**図表５－１**）。

■図表５－１　不服申立制度のしくみ

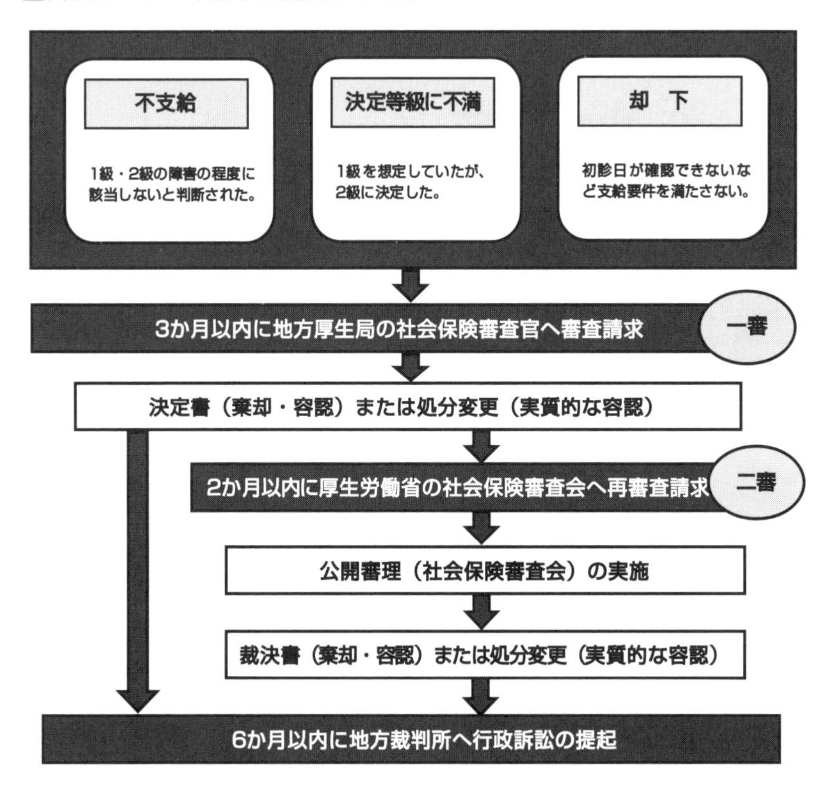

2　不支給の理由を把握する

①「不支給決定通知書」を確認する

不服申立では、不支給の理由を知ることからスタートします。不支給の場合は「国民年金・厚生年金保険の支給しない理由のお知らせ（不支給決定通知書）」（**図表5－2**）が届きます。

■図表5－2　不支給決定通知書

国民年金・厚生年金保険の支給しない理由のお知らせ
（不支給決定通知書）

あなたから請求のありました障害給付については次の理由により支給しないことと決定しましたので通知します。

支給しない理由

請求のあった傷病（※1）の障害認定日（※2）現在の障害の状態は、障害年金1級又は2級の対象となる障害（国民年金法施行令別表に規定）に該当しません。

請求傷病（※1）　：

障害認定日（※2）　：

令和2年4月より、不支給決定通知書に同封された「決定の理由」と記載された書類の裏面【判断の根拠となった事実関係等】の項目（**図表5－3**）に不支給の理由が示されるようになりました。

■図表5－3　決定の理由（裏面）

【判断の根拠となった事実関係等】
あなたの障害の状態、日常生活状況等に関しては、主に以下の事項が認められます。

・「日常生活能力の程度」は「（3）精神障害を認め、家庭内での単純な日常生活はできるが、時に応じて援助が必要である。」であり、「日常生活能力の判定」（程度の軽いほうから1～4の段階評価に置き換え、その平均を算出したもの）は3.0以上3.5未満であること。

最初に等級判定ガイドライン〔表1〕障害等級の目安の数値が記載され、続いて総合評価の際に考慮した要素が示されています。いくつか例を挙げると、

・家庭および社会生活についての全般的状況は、「対人関係に問題なし」であること。
・現症時の就労状況は、勤務先が「一般企業」、雇用体系が「一般雇用」、仕事の頻度が「週５日」であること。
・一人暮らしであり、かつ福祉サービスは利用していないこと。
・日常生活活動能力は、「ある程度自立している」であること。

これにより、不支給決定の場合は、不支給の理由が明らかになるため、不服の申立て（審査請求・再審査請求）の対策が立てやすくなりました。

②「認定調書」を取得する

「１級だと思っていたのに２級になってしまった」など、想定よりも軽い等級に決定したときは、「決定の理由」は同封されません。専門家である社会保険労務士であっても理由がはっきりとわからないときがあります。理由がわからなければ、論点のずれた不服の申立てになってしまう可能性があります。

保険者（厚生労働大臣）が、どのような経緯で２級としたのかを知るには、日本年金機構の内部書類である認定調書（**図表5－4**）

を確認することが有効です。

■図表５－４　認定調書

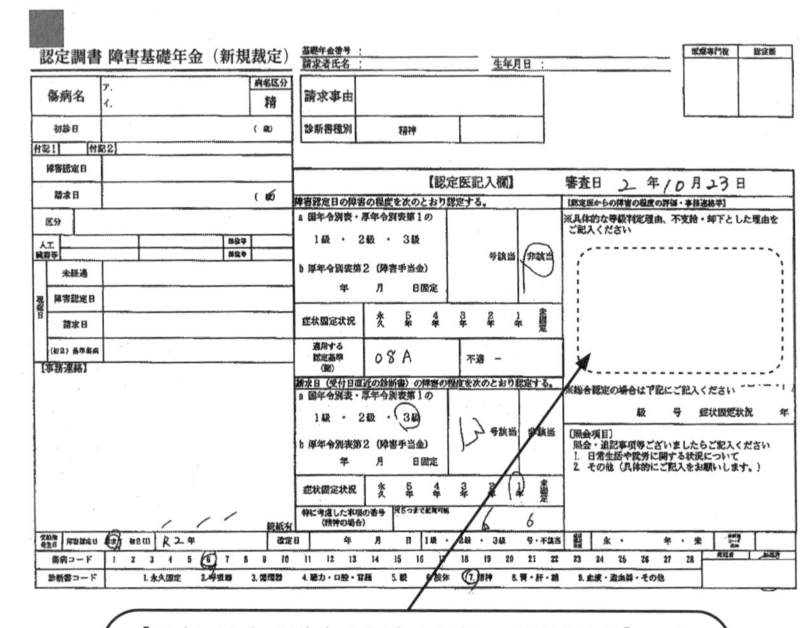
認定調書 障害基礎年金（新規裁定）
基礎年金番号：
請求者氏名：
生年月日：
医療専門役　認定医
傷病名　ア．　イ．　病名区分　精
請求事由
初診日　（　歳）
診断書種別　精神
付記1　付記2
障害認定日
請求日　（　歳）
区分
人工臓器等　部位等　部位等
現在日　未経過　障害認定日　請求日　（初2）傷早傷病
【事務連絡】
【認定医記入欄】　審査日　2 年 10 月 23 日
障害認定日の障害の程度を次のとおり認定する。
a 国年令別表・厚年令別表第1の
1級 ・ 2級 ・ 3級
号該当　非該当
b 厚年令別表第2（障害手当金）
年　月　日固定
症状固定状況　永久　5年　4年　3年　2年　1年　未固定
適用する認定基準（節）　08A　不適 －
請求日（受付日直近の診断書）の障害の程度を次のとおり認定する。
a 国年令別表・厚年令別表第1の
1級 ・ 2級 ・ 3級
13 号該当　非該当
b 厚年令別表第2（障害手当金）
年　月　日固定
症状固定状況　永久　5年　4年　3年　2年　1年　未固定
特に考慮した事項の番号（精神の場合）　※5つまで記載可能　6　6
【認定医からの障害の程度の評価・事務連絡等】
※具体的な等級判定理由、不支給・却下とした理由をご記入ください
※総合認定の場合は下記にご記入ください
級　号　症状固定状況　年
〔照会項目〕
照会・追記事項等ございましたらご記入ください
1. 日常生活や就労に関する状況について
2. その他（具体的にご記入をお願いします。）
続紙有
受給権発生日　障害認定日　請求日　初2(1)　R2年　改定日　年　月　日　1級・2級・3級　号・不該当　永・　年・未
傷病コード　1 2 3 4 5 6 7 8 9 10 11 12 13 14 15 16 17 18 19 20 21 22 23 24 25 26 27 28
診断書コード　1. 永久固定　2. 呼吸器　3. 循環器　4. 聴力・口腔・言語　5. 眼　6. 肢体　7. 精神　8. 腎・肝・糖　9. 血液・造血器・その他

認定調書を取り寄せるには、日本年金機構または厚生労働省へ個人情報開示請求をすることになります。日本年金機構への開示請求は、厚生労働省に比べて時間がかかることと、印紙での開示手数料支払ができないため、ここでは厚生労働省から取得する方法を記載します。

❶　開示請求書の入手先

厚生労働省のサイト（https://www.mhlw.go.jp/jouhou/hogo06/）より、保有個人情報開示請求書（**図表５－５**）をダウンロードし

ます。

❷ 開示請求書の記入

「1 開示を請求する保有個人情報（具体的に記載してください。）」欄は、「令和○年○月○日障害基礎年金請求に対し、2級とした審査の経緯がわかる書類一式。基礎年金番号○○○○-○○○○○○、平成○○年○月○日生まれ」と記入します。

「2 求める開示の実施方法等（本欄の記載は任意です。）」欄は、「ウ 写しの送付を希望する。」に○をします。

図表５－５　開示請求書の記入例

<標準様式第 2－1>　開示請求書

保有個人情報開示請求書

令和○年○月○日

厚生労働大臣　殿

（ふりがな）　○○○○　○○○○
氏名　○○　○○

住所又は居所
〒123-4567　○○県○○市××１－２－３　℡ 000（0000）0000

個人情報の保護に関する法律（平成15年法律第57号）第77条第1項の規定に基づき、下記のとおり保有個人情報の開示を請求します。

記

1　開示を請求する保有個人情報（具体的に特定してください。）

令和○年○月○日障害基礎年金請求に対し、２級とした審査の経緯がわかる書類一式。 **基礎年金番号○○○○○－○○○○○○、平成○○年○月○日生まれ**

2　求める開示の実施方法等（本欄の記載は任意です。）
ア、イ又はウに○印を付してください。アを選択した場合は、実施の方法及び希望日を記載してください。

ア　事務所における開示の実施を希望する。 <実施の方法>　□閲覧　□写しの交付 □その他（　　　　　　　　） <実施の希望日>　　年　　月　　日 イ　電子情報処理組織を使用した開示を希望する。 （ウ）写しの送付を希望する。

3　手数料

手数料	収入印紙 300円	ここに収入印紙を貼ってください。	（請求受付印）

4　本人確認等

ア　開示請求者　□本人　□法定代理人　☑任意代理人
イ　請求者本人確認書類 □運転免許証　☑健康保険被保険者証 □個人番号カード又は住民基本台帳カード（住所記載のあるもの） □在留カード、特別永住者証明書又は特別永住者証明書とみなされる外国人登録証明書 □その他（　　　　　　　） ※請求書を送付して請求をする場合には、加えて住民票の写し等を添付してください。
ウ　**本人の状況等（法定代理人又は任意代理人が請求する場合にのみ記載してください。）** （ア）　本人の状況　☑未成年者（**平成○○年○月○日生**）□成年被後見人　□任意代理人委任者 （ふりがな） （イ）　本人の氏名 （ウ）　本人の住所又は居所
エ　法定代理人が請求する場合、次のいずれかの書類を提示し、又は提出してください。 請求資格確認書類　□戸籍謄本　□登記事項証明書　□その他（　　　　）
オ　任意代理人が請求する場合、次の書類を提出してください。 請求資格確認書類　□委任状　□その他（　　　　）

❸　身分証明書等と一緒に郵送

記入した開示請求書に印紙（1件あたり300円）を貼付し、住民票の写し（開示請求の30日以内に発行されたもの）、身分証明書（健康保険被保険者証等）のコピーと一緒に下記の住所へ郵送します。

> 厚生労働省 **大臣官房総務課 公文書監理・情報公開室**
> 住所：〒100-8916　東京都千代田区霞ヶ関1-2-2
> 電話番号：03-5253-1111(内線7129・7128)

❹　申出書の郵送

上記の開示請求後、30日以内に「保有個人情報の開示の実施方法等申出書」が郵送されてきます。

「2 求める開示の実施方法（該当する実施方法の□に✓印を記入して下さい。）」欄の、「写しの交付」と「全部」にチェックを入れます。指定された金額分の切手を同封し、下記の住所へ郵送します。1回目（上記❸）の郵送と宛先が異なるので注意してください。

> 厚生労働省 **年金局事業企画課 情報公開係**
> 住所：〒100-8916　東京都千代田区霞ヶ関1-2-2
> 電話番号：03-5253-1111(内線3577)

❺　書類の受け取り

申出書の返送後、数日で開示書類が郵送されてきます。

認定調書を含む書類一式が手元に届くまでには、1か月以上を要します。

不服申立手続には期限（審査請求は3か月以内）が定められています。そのため、認定調書の確認を要する場面では、保有個人情報開示請求を迅速に行うことが大切になります。

3　審査請求の流れ

決定の理由に納得がいかない場合は、通知を受け取ってから３か月以内に地方厚生局（**図表５－６**）の**社会保険審査官**に対して**審査請求**をします。

審査請求は文書または口頭で行うこととされていますが、通常は文書で行うことになります。審査請求書の様式は管轄する地方厚生局社会保険審査官から郵送してもらうか、地方厚生局のホームページから印刷します。

■図表５－６　地方厚生局（社会保険審査官室）一覧

厚生(支)局名	管轄区域	所在地	電話番号
北海道厚生局	北海道	〒060-0808 札幌市北区北８条西２－１－１ 札幌第１合同庁舎８階	011-709-2311
東北厚生局	青森県、岩手県、宮城県、秋田県、山形県、福島県	〒980-8426 仙台市青葉区花京院１－１－２０ 花京院スクエア２１階	022-208-5331
関東信越厚生局	茨城県、栃木県、群馬県、埼玉県、千葉県、東京都、神奈川県、新潟県、山梨県、長野県	〒330-9713 さいたま市中央区新都心１－１ さいたま新都心合同庁舎１号館５階	048-851-1030
東海北陸厚生局	富山県、石川県、岐阜県、静岡県、愛知県、三重県	〒461-0001 名古屋市中区三の丸２－２－１ 名古屋合同庁舎第１号館６階	052-228-6159
近畿厚生局	福井県、滋賀県、京都府、大阪府、兵庫県、奈良県、和歌山県	〒540-0011 大阪市中央区農人橋１－１－２２ 大江ビル８階	06-7711-8001

中国四国厚生局	鳥取県、島根県、岡山県、広島県、山口県	〒730-0017 広島市中区鉄砲町７－１８ 東芝フコク生命ビル２階	082-223-0070
四国厚生支局	徳島県、香川県、愛媛県、高知県	〒760-0019 高松市サンポート２－１ 高松シンボルタワー10階	087-851-9564
九州厚生局	福岡県、佐賀県、長崎県、熊本県、大分県、宮崎県、鹿児島県、沖縄県	〒812-0011 福岡市博多区博多駅前３－２－８ 住友生命博多ビル４階	092-707-1135

（令和６年６月時点）

①　審査請求書の記入例

様式を入手したら、審査請求書（**図表５－７**）を記入します。「審査請求の趣旨及び理由」は認定要領、等級判定ガイドラインに基づいた事実関係や主張を展開し、それらを裏付ける資料を添付します。「趣旨及び理由」の項目に「別紙参照」と記入して、Word等で作成したものを添付する方法もあります。

図表５－７　審査請求書の記入例

審　査　請　求　書

令和○年○月○日

○○厚生局社会保険審査官　殿

請求人　住所又は居所 所在地　〒○○○-○○○○ ○○県○○市○○1-1-1

氏名又は名称　○○　○○

電話　○○○-○○○○-○○○○　番

代理人　住所又は居所　〒○○○-○○○○ ○○県○○市○○1-1-1

氏名　○○　○○

電話　○○○-○○○○-○○○○　番

（請求人との関係　母　）

次のとおり、審査請求をします。

被保険者もしくは被保険者であった者	住所又は居所	○○県○○市○○1-1-1	「記号及び番号」欄には、被保険者証・年金手帳・基礎年金番号通知書・年金証書の記号番号を記入してください。
	（ふりがな）氏名	○○○○　○○○○ ○○　○○	
	生年月日	大正・昭和・平成（○印）　○○年　○月　○日生	
	記号及び番号	基礎年金番号　○○○○-○○○○○○	
	事業所名及び所在地		電話 （　）　番
給付を受けるべき者	住所又は居所		被保険者もしくは被保険者であった者の死亡にかかる給付について、審査請求をする場合にだけ記入してください。
	（ふりがな）氏名		
	生年月日	大正・昭和・平成　年　月　日	
	死亡者との続柄		
原処分者	所在地		あなたが不服とする処分をした保険者等の代表者名を記入してください。
	名称	厚生労働大臣（○印） 日本年金機構理事長 （　年金事務所） 全国健康保険協会支部長 （　支部） 健康保険組合理事長 （　健康保険組合） 企業年金基金連合会理事長 厚生年金基金理事長 国民年金基金連合会理事長 国民年金基金理事長	

原処分があったことを知った日	令和〇年〇月〇日	あなたが不服とする処分をあなたが知った日（その通知書をあなたが受け取った日）を記入してください。
審査請求の趣旨及び理由	＜趣旨＞ 障害認定日において障害基礎年金2級と認定すること。 ＜理由＞ 1 請求人の障害の原因である傷病は精神遅滞であり、療育手帳（令和〇年〇月〇日交付）の判定区分はB(中度)である。請求人は、知的能力と適応能力に大きな障害があり、日常生活に多くの困難性を有し、家族の全面的な援助が無ければ日常生活を営むことはできない。 「国民年金・厚生年金保険障害認定基準」の第3第1章第8節 「知的障害による障害」の「2認定要領」「D 知的障害」（以下、認定要領）によると、2級に相当すると認められるものを一部例示すると、次のとおりであるとされている。 「知的障害があり、食事や身のまわりのことなどの基本的な行為を行うのに援助が必要であって、かつ、会話による意思の疎通が簡単なものに限られるため、日常生活にあたって援助が必要なものは2級と認定する」 請求人の状態は、この例示に該当するものと考えられる。 2 不支給決定通知書に添付された【判断の根拠となった事実関係等】において、請求人の就労状況（勤務先が「一般企業」、雇用体系が「一般雇用」、勤続年数が「5か月」）を挙げている。 認定要領では「就労支援施設や小規模作業所などに参加する者に限らず、雇用契約により一般就労をしている者であっても、援助や配慮のもとで労働に従事している。したがって、労働に従事していることをもって、直ちに日常生活能力が向上したものと捉えず、現に労働に従事している者については、その療養状況を考慮するとともに、仕事の種類、内容、就労状況、仕事場で受けている援助の内容、他の従業員との意思疎通の状況等を十分確認したうえで日常生活能力を判断すること。」 と定めている。 そこで請求人の就労支援員（〇〇〇氏）から「就労状況に関する第三者の意見書」を取得した。それによると………	あなたが、どんな処分を受けたので不服申立をするのか、その理由及び社会保険審査官にどういう決定をしてもらいたいかを、なるべくくわしく記入してください。（別紙に書いても結構です。）
添付書類	原処分の決定通知書（審査請求ができる旨が記載されているもの）の写し （※必ず添付してください） 「国民年金・障害基礎年金不支給決定通知書」	
添付書類（その他）	1 【判断の根拠となった事実関係等】 2 「就労状況に関する第三者の意見書」	ここには診断書等を証拠として提出するときに、それ等の文書や物件の名前を列記してください。
委任状	この審査請求については （代理人） 〇〇 〇〇 を 私の代理人にいたします。 審査請求人氏名 〇〇 〇〇 令和〇年〇月〇日 〇〇信越厚生局社会保険審査官 殿 〇〇厚生局社会保険審査官 殿	

注意事項　1．代理人が審査請求するときは、代理人の住所又は居所、氏名等を記載するとともに「委任状」欄にも記入してください。

2．この審査請求は、あなたが原処分があったことを知った日の翌日から起算して３か月以内に社会保険審査官（地方厚生局内）に送付しないと、特別な事情がない限り審査をしてもらえないことになります。審査請求が遅れた正当な事由がある場合は、「審査請求の趣旨及び理由」欄に記載してください。

（　／　）

②　審査請求書の送付

審査請求書が記入できたら、添付資料と一緒に期日（通知を受け取ってから３か月以内）までに管轄する地方厚生局社会保険審査官に送付します。

期日が迫っていて、審査請求書の「審査請求の趣旨及び理由」を十分に検討する時間がないことも考えられます。その場合は「審査請求の趣旨及び理由」に「別紙を○月○日までに後送します。」と記入して、その他の書類と一緒に送付します。後送する別紙「審査請求の趣旨及び理由」は期限を過ぎていても受理されますが、あらかじめ管轄する地方厚生局社会保険審査官に連絡しておくと安心です。

③　審査請求の口頭意見陳述（任意）

審査請求書を送付すると、10日前後で審査を担当する社会保険審査官から受理通知「審査請求の受理について」が届きます。受理通知には請求人が意見を述べ、保険者（厚生労働省の担当者）等に対して質問をすることができる**口頭意見陳述**の開催を求める場合の期日が記載されています。口頭意見陳述は請求人の求めに応じ、社会保険審査官が保険者等を招集して、**非公開**で開催されます。口頭意見陳述の開催を希望する場合は、期日（1週間程度と短いので注意しましょう）まで社会保険審査官へ連絡します。

なお、口頭意見陳述は**任意**ですので、開催を求めない場合は連絡する必要はありません。また、口頭意見陳述は開催する地方厚生局により対応の違いはありますが、原則として社会保険審査官、請求人（またはその代理人）、保険者代理人が出席します。その場で直接意見を述べることや質問などが可能ですが、社会保険審査官へ文書を送付することにより質問内容をあらかじめ保険者に伝えておくこともできます。

④　保険者による「処分変更」もある

審査請求の過程で、請求人の意見や事実関係等を精査し、保険者が**処分変更**することがあります。この処分変更により請求人の訴えが認められたことになるので、審査請求を継続する理由はなくなります。処分変更の連絡は、社会保険審査官から請求人に対して行われ、審査請求の取下げについての確認があります。取下げの意向であることを伝えると、「審査請求取下書」が送付されてきますので、記入して社会保険審査官に返送します。審査請求の取り下げ後、2～3か月で年金証書（2級から1級に変更の場合は変更後のもの）が送られてきます。

⑤　審査請求の結果までは3～6か月

審査請求書類を送付してから3～6か月で**決定書**が簡易書留で郵送されます。決定は**容認**（請求人の訴えを認める）または**棄却**（請求人の訴えを退ける）のどちらかです。決定書の主文に「原処分を取り消す。」と記載があれば容認という意味で、棄却の場合は「この審査請求を棄却する。」と記載があります。

容認となれば、あとは年金証書（2級から1級に変更の場合は変更後のもの）の到着と年金の支給（または変更）を待つだけです。棄却の場合は再審査請求（社会保険審査会への請求）に進むか検討します。

4　再審査請求の流れ

一審の社会保険審査官の決定に不服があるときは、決定書が送付された日の翌日から起算して2か月以内に**社会保険審査会**に対して**再審査請求**を行います。

社会保険審査会は、国会の同意を得て厚生労働大臣に任命された元裁判官、医師、社会保険労務士など6名の委員で構成されており、審理は公開を原則としています。各審理には3名の委員、当事者（請求人、保険者）のほか、数名の参与（国民年金の被保険者および受給権者の利益を代表するもの）が参加します。

社会保険審査会は複数人で構成される合議制なので、独任制の社会保険審査官よりも公正・公平な審査が期待できます。

次の表（**図表5－8**）は社会保険審査会による過去6年度分（平成29年度～令和4年度）の処理状況です。

■図表5－8

年　度	取下げ※	容　認	棄　却	却　下	計	容認率（取下げを含む）
平成29年度	130	99	1,475	102	1,806	12.7%
平成30年度	113	91	1,149	105	1,458	14.0%
令和元年度	172	90	1,051	115	1,428	18.3%
令和２年度	157	89	1,040	115	1,401	17.6%
令和３年度	146	93	1,155	51	1,445	16.5%
令和４年度	79	73	853	87	1,092	13.9%

（出典：社会保険審査会、年度別（再）審査請求受付・裁決件数等の推移）

※　保険者の処分変更により再審査請求が取り下げられた実質的な容認

この表には老齢年金、遺族年金、健康保険など他制度も含まれていますが、全体の6～8割を占める障害年金の容認率（取下げを含む）も同程度とみなすことができます。

再審査請求も文書または口頭で行うこととされていますが、通常は文書で行うことになります。再審査請求書の様式は厚生労働省のサイト
（https://www.mhlw.go.jp/topics/bukyoku/shinsa/syakai/06.html）
からダウンロードするか、厚生労働省保険局総務課社会保険審査調整室（調整室）に連絡すれば郵送してもらえます。

厚生労働省 保険局総務課 社会保険審査調整室
住所：〒105-0003　東京都港区西新橋1-1-1
　　　日比谷フォートタワー8階
電話番号：03-5253-1111（代表）

①　再審査請求書の記入例（図表5－9）

再審査請求の「審査の決定をした社会保険審査官」「社会保険審査官の決定年月日」は、審査請求の決定書巻末に記載されています。続いて「決定書の謄本が送付された年月日」（配達日）を記入して「再審査請求をすることができる旨の教示の有無」は「あった」に○をします。「再審査請求の趣旨及び理由」が審査請求と同じであれば、「1.審査官に対して行った審査請求の趣旨及び理由と同じ。」に○をします。最後に再審査請求人と代理人がいる場合は氏名、住所連絡先電話番号を記入します。

「再審査請求の趣旨及び理由」が審査請求と異なる場合は「2.別紙（2枚目）［再審査請求の趣旨及び理由］に記載のとおり。」に○をして、別紙（2枚目）「再審査請求の趣旨及び理由」に新たな意見（主張）を記述し、それを裏付ける資料を添付します。ただし、

再審査請求は、社会保険審査官が行った決定の取消しではなく、あくまでも保険者が請求人に対して行った原処分の取消しを求めるものです。ですから、例えば、決定書に「審査請求時に提出した診断書は採用できない」と記載されたとしても、社会保険審査官の判断（診断書の不採用）に対する不服を申し立てることはできません。

図表5－9 再審査請求書の記入例

再審査請求書

令和○年○月○日

社会保険審査会 御中

私は下記のように社会保険審査官の決定を受けましたが、なお不服があるため再審査請求をします。

審査の決定をした社会保険審査官	○○○○ 厚生（支）局 ○○ ○ 社会保険審査官
社会保険審査官の決定年月日	令和○年 ○月 ○日
決定書の謄本が送付された年月日	令和○年 ○月 ○日
再審査請求をすることができる旨の教示の有無	（あった）　なかった
再審査請求の趣旨及び理由 （右のいずれかに○を付けてください。）	（1.）審査官に対して行った審査請求の趣旨及び理由と同じ。 2．別紙（2枚目）［再審査請求の趣旨及び理由］に記載のとおり。

再審査請求人		
再審査請求人	フリガナ 氏名	○○○○ ○○○○ ○○ ○○
	住所	〒○○○-○○○○ ○○県○○市○○1-1-1
	連絡先電話番号	○○○（ ○○○ ）○○○○

※ 代理人が請求される場合、以下に記入の上、委任状を併せて提出してください。

代理人		
代理人 （代理人が複数いる場合は、代表者を記入してください。）	フリガナ 氏名	○○○○ ○○○○ ○○ ○○
	住所	〒○○○-○○○○ ○○県○○市○○1-1-1
	連絡先電話番号	○○○（ ○○○ ）○○○○

以下の欄は、審査官からの決定書に記載されている内容と**異なる場合**のみ記入してください。

被保険者、被保険者であった者 又は 受給権者、受給権者であった者 （遺族年金、未支給給付、埋葬料等を請求した場合に、死亡された方のことを記入すること。）	氏名			
	生年月日	明・大 昭・平・令 年 月 日	記号及び番号又は基礎年金番号	
	住所	〒 －		
	事業所名 所在地			
給付を受けるべき者 （遺族年金、未支給給付、埋葬料等を請求した場合に、請求された方のことを記入すること。）	氏名			
	生年月日	明・大 昭・平・令 年 月 日	死亡者との続柄	
	住所	〒 －		
原処分者	名称 所在地			
原処分があったことを知った年月日		令和 年 月 日		

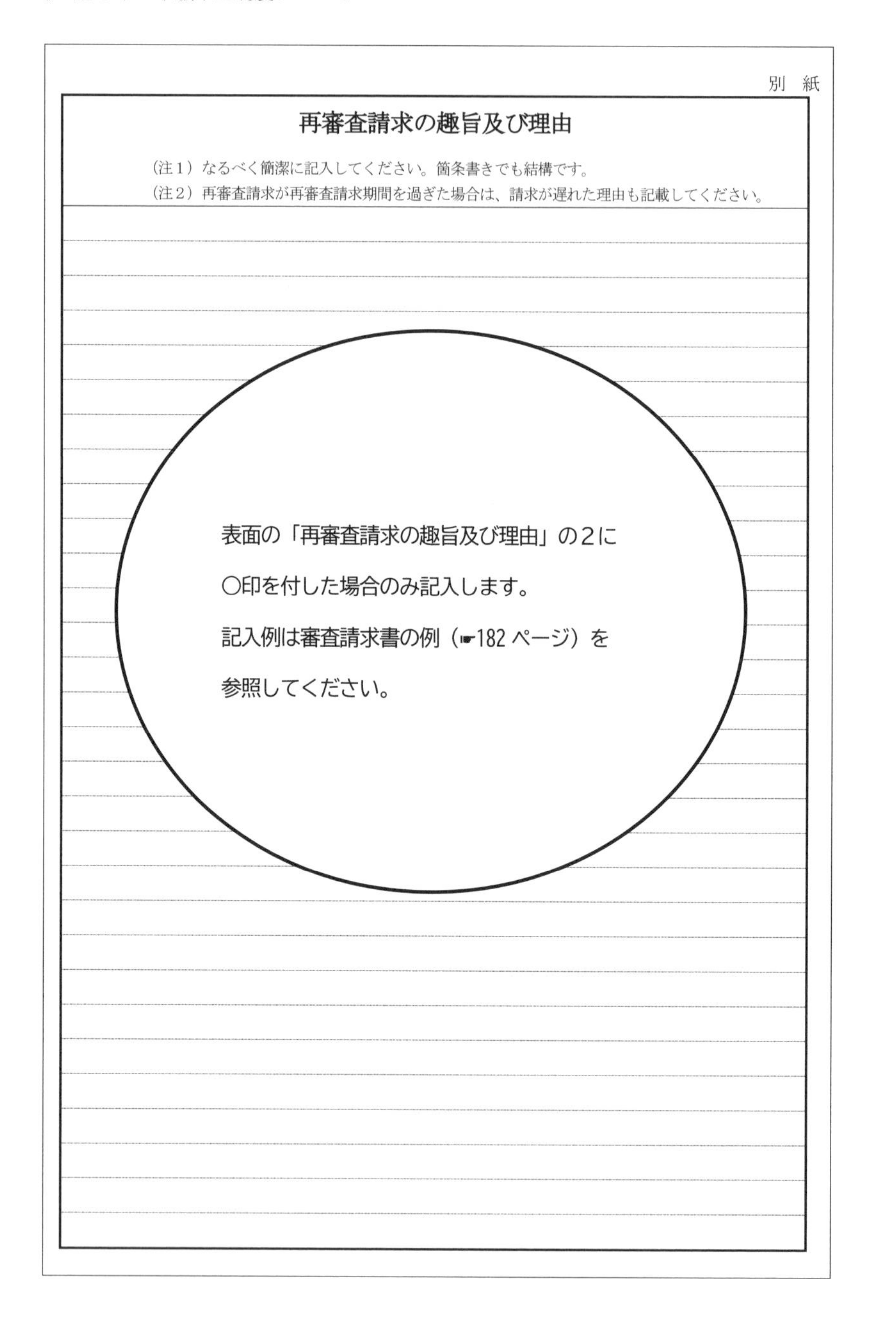
別紙

再審査請求の趣旨及び理由

（注１）なるべく簡潔に記入してください。箇条書きでも結構です。
（注２）再審査請求が再審査請求期間を過ぎた場合は、請求が遅れた理由も記載してください。

表面の「再審査請求の趣旨及び理由」の２に
○印を付した場合のみ記入します。
記入例は審査請求書の例（☛182 ページ）を
参照してください。

②　再審査請求書の送付

再審査請求書が記入できたら決定書が送付された日の翌日から起算して2か月以内に調整室へ送付します。代理人がいる場合は委任状も添付します。期日が迫っていて、別紙（2枚目）「再審査請求の趣旨及び理由」の作成が間に合わない場合は「○月○日までに後送します。」と記入して「再審査請求書」のみ送付することもできます。審査請求書を送付すると、10日前後で社会保険審査会委員長名義の通知書（「（再）審査請求について」）が届きます。

③　公開審理の案内

社会保険審査会では再審査請求の審理にあたり、当事者等が意見を述べることができる場として、公開審理を開催します。公開審理の日時は審査請求書の送付から6か月前後に設定されることが多く、開催日の約1か月前に調整室より以下の書類が届きます。

❶　社会保険審査会の審理について（通知）

再審査請求人の氏名、公開審理の日時や場所が記載されたレターヘッド。

❷　公開審理資料

年金請求書、診断書、病歴・就労状況等申立書など裁定請求時に提出した書類、再審査請求人が作成した再審査請求書、保険者の意見書などがまとめられた冊子。

保険者の意見書は、不支給の理由が簡潔にまとめられているので確認しておくようにしましょう。再審査請求人は保険者の意見書に記載された事項に対する反論を記載した書面を開催日の10日前までに送付することも可能です。

❸　公開審理についてのご説明

開催の場所、持ち物、入館方法、審理の進め方、注意事項などが記載されています。

公開審理に出席する場合はあらかじめ確認しておくようにしましょう。

❹　出欠確認のはがき

出欠の有無にかかわらず所要事項を記入して、開催日の10日前までに送付します。なお、出席しないことをもって不利に扱われることはありません。

❺　入館証（QRコード）

開催場所となるビルのセキュリティゲートを通過するためのもの。

④　公開審理の開催

会場に着いたら受付を済ませ、控室で順番を待ちます。その際、係員から**保険者意見**が渡されます。この意見書は公開審理資料にある内容と異なっていることや新たな意見が追加されていることがあるので確認します。そのため、審理開始の20分前までには会場に到着するように心がけましょう。

順番になると係員が審理室の請求人席に誘導してくれます。着席後、審査長の指揮のもと、原則として以下の順序で進行します。

❶　出席者の確認

❷　再審査請求の趣旨及び理由の確認

請求人が提出した文書「再審査請求の趣旨及び理由」の通りで間違いないか、の確認があります。

❸　保険者意見の確認

❹　審査委員からの質問

審査委員から請求人、保険者へ質問される場合があります。請求人への質問は主に事実関係を確認するためのものです。

❺　参与からの意見

数名の参与が、認定すべき事実関係や等級などの意見を述べます。ただし、参与は審査の決定には関与しません。

❻ 請求人・利害関係人またはその代理人からの意見陳述

請求人が意見を述べる最後の機会なので「再審査請求の趣旨及び理由」から特に強調したいポイントを簡潔に話すようにします。受付時に渡された保険者意見の中で新たな意見が追加されている場合は、それに対する反論もこの場で行うとよいでしょう。

⑤ 再審査請求の結果までは2～3か月

公開審理の開催後2～3か月で裁決書が簡易書留で郵送されます。決定は審査請求と同じく容認（請求人の訴えを認める）または棄却（請求人の訴えを退ける）のどちらかです。裁決書の主文に「～を取り消す。」と記載があれば容認という意味で、棄却の場合は「本件再審査請求を棄却する。」と記載があります。

なお、公開審理の直前に「保険者による処分変更」となることがあります。この場合は厚生労働省より請求人または代理人に電話があり、処分変更の内容説明と再審査請求の取下げについて確認があります。取下げの意向であることを伝えると公開審理は中止され「再審査請求取下書」が送付されてきますので、記入して調整室に返送します。

容認となれば、後は年金証書の到着と年金の支給（または変更）を待つだけです。

棄却など、不服があるときは、再審査請求の決定があったことを知った日から6か月以内に地方裁判所に提起（行政訴訟）することができます。

5　最初からやり直し（再請求）もできる

不服申立制度を使わず、障害年金請求を最初からやり直す（再裁定請求する）こともできます。再裁定請求（**再請求**）では「新規裁定請求では障害等級に該当しなかったが、その後に状態が悪化し、障害等級に該当する状態になった」と申し立てます。医師に日常生活状況を正しく伝えることができず、実際よりも日常生活能力が高く評価（できることが多く、障害状態は軽いと判定）された診断書により不支給となったケースでは有効な手段です。

不服申立制度では、審査請求・再審査請求を経て最終結果が判明するまで2年近くかかることがあります。再請求であれば、新規裁定請求と同等の審査期間（3か月前後）なので結果を早く得られるメリットがあります。

①　事後重症請求が基本

再請求時の請求方法は、事後重症請求（☞ **24ページ 第1章1 障害年金制度のしくみ**）が基本です。事後重症請求は請求日から3か月以内に作成された診断書を提出するので、新規裁定請求時に提出した診断書より日常生活能力が低い評価に変わっていても矛盾はありません。

遡及請求（☞ **23ページ 第1章1 障害年金制度のしくみ**）は可能ですが、遡及請求で提出する診断書の2枚のうち1枚は障害認定日のものです。再請求の障害認定日は新規裁定請求の障害認定日と変わりません。つまり、不支給となった新規裁定請求の障害認定日と同時期にもかかわらず、日常生活能力が低い評価に変更された診断書を提出するということになります。そのような診断書が認めれる可能性は低いでしょう。

②　受診状況等証明書は省略できる

新規裁定請求時に受診状況等証明書（☞ **120ページ　第4章5「受診状況等証明書」の添付が必要なケース**）を提出済みで、同一傷病かつ同一初診日で障害年金を再請求する場合については、一定の条件（※）がそろえば改めて取得する必要はありません。前回の受診状況等証明書を用いることを希望する申出書（障害年金前回請求時の初診日証明書類の利用希望申出書）を日本年金機構のホームページからダウンロードします。

※平成 29 年度以降に提出され、かつ、申出書の提出日から５年以内に提出された初診日証明書類であること

③　不服申立制度と同時請求も可能

不服申立制度（審査請求・再審査請求）と並行して再請求を行うことも可能です。

ただし、遡及請求の結果「障害認定日は不支給、請求日は２級」など障害認定日のみの再請求は、お勧めしません。新規裁定（前回）の障害認定日と同時期にもかかわらず前回より重く書かれた診断書は、特別な理由がない限り信用性に欠け、みとめられる可能性は低いです。この場合は不服申立制度の一本に絞るほうがよいでしょう。

コラム⑤

一人暮らしでも認められるケース

ここでいう「一人暮らし（独居）」は、同居者がおらず単独で生活していることを指します。支援を目的としている入所施設（障害者支援施設）やグループホームでの居住は該当しません（一人暮らしとはみなされません）。

認定要領の２級についての例示では、「知的障害があり、（中略）日常生活にあたって援助が必要なもの」、「発達障害があり、（中略）日常生活への適応にあたって援助が必要なもの」とあります。そのため、「一人暮らし＝自立」として２級非該当（不支給）になるのでは、とあきらめてしまうかもしれません。しかし、等級判定ガイドラインの❸生活環境（☞ 70ページ）では、一人暮らしの場合でも審査で考慮する具体的内容が２つ示されています。

> ○ 家族等の日常生活上の援助や福祉サービスの有無を考慮する。
> <具体的な内容例>
> 独居であっても、日常的に家族等の援助や福祉サービスを受けることによって生活できている場合（現に家族等の援助や福祉サービスを受けていなくても、その必要がある状態の場合も含む）は、それらの支援の状況（または必要性）を踏まえて、２級の可能性を検討する。

一人暮らしでも、２級の可能性を検討する場合として以下の例を示しています。

- ・家族や知人が定期的に訪問し、家事や身の回りに関する援助を受けている。
- ・居宅介護（ホームヘルパー）等の福祉サービスを利用している。
- ・現時点では援助は受けていないものの、援助を必要とする状態である。

○ 独居の場合、その理由や独居になった時期を考慮する。

一人暮らしでも、個別的事情を斟酌する例として以下を挙げています。

・家庭の事情や身寄りと呼べる人がいないなど、やむを得ない理由がある。
・一人暮らしを始めたばかりで、まだ生活が安定しているとは判断できない。

これらに該当する状況で一人暮らしをしている場合は、診断書、病歴・就労状況等申立書などを通して審査側に伝えるようにしましょう。

第6章

受給開始後に知っておきたいこと

1　国民年金保険料の法定免除制度を利用するには

法定免除とは、国民年金の加入義務がある20歳以上60歳未満の第１号被保険者のうち、障害基礎年金の受給者など一定の条件を満たした人に対し、保険料の納付を免除するしくみです。免除された期間は、保険料を納付した扱いとなり、将来の老齢基礎年金の金額に反映されます。

ただし、保険料を納付する義務を免除される代わりに、法定免除期間は全額納付の２分の１（半分）で計算されます。また、法定免除は第１号被保険者のみの制度で、第２号被保険者（厚生年金等の加入者）や第３号被保険者（第２号被保険者に扶養されている20歳以上60歳未満の配偶者）は対象外になります。

①　国民年金被保険者関係届書（申出書）の提出

年金事務所の国民年金課または市町村役場の国民年金担当へ、**国民年金被保険者関係届書（申出書）（図表６－１）**を提出します。その際は、身分証明書と年金証書を持参しましょう。代理人の場合は委任状も必要になります。

国民年金被保険者関係届書（申出書）は日本年金機構のホームページから印刷することができますが、提出先の窓口でも受け取れます。

■図表6－1　国民年金被保険者関係届書（申出書）

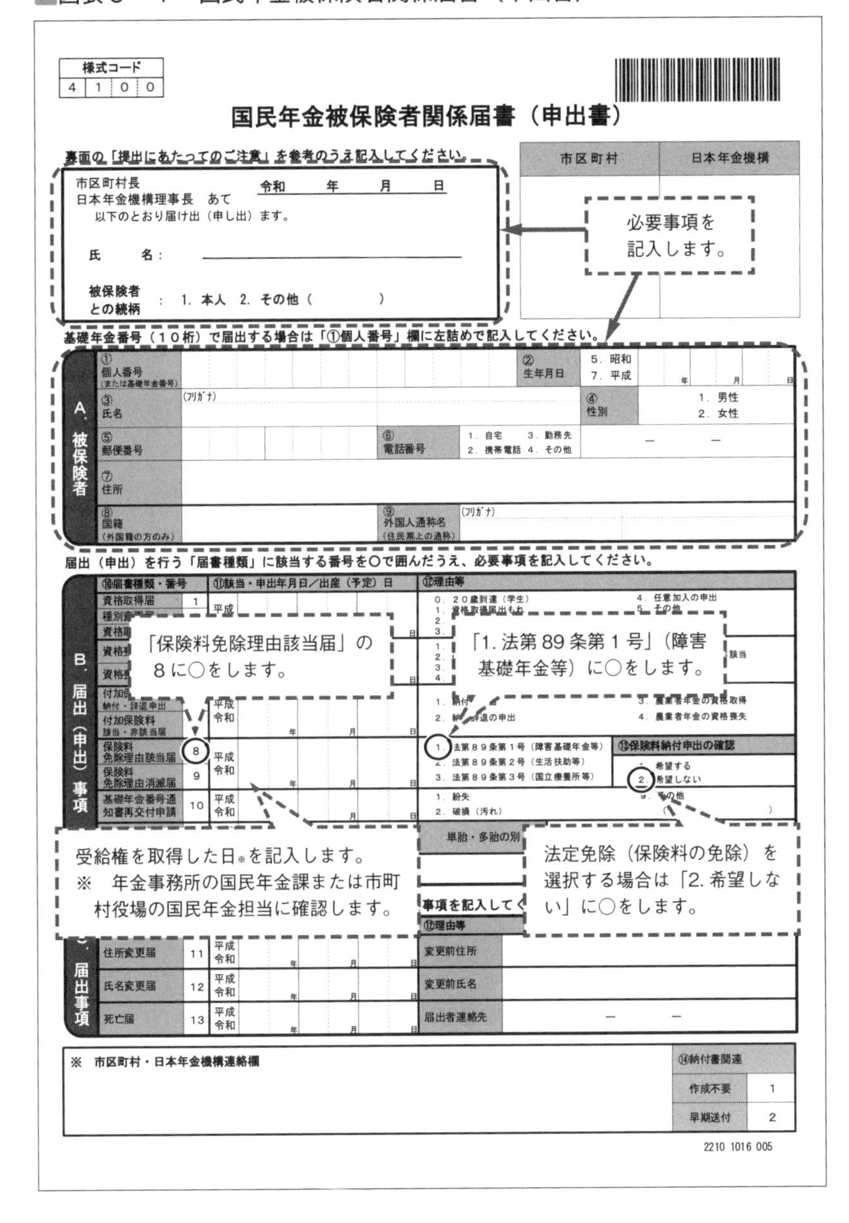

様式コード 4100

国民年金被保険者関係届書（申出書）

裏面の「提出にあたってのご注意」を参考のうえ記入してください。

市区町村長
日本年金機構理事長　あて
以下のとおり届け出（申し出）ます。
令和　年　月　日

氏　名：

被保険者との続柄：1. 本人　2. その他（　　　）

市区町村	日本年金機構

基礎年金番号（10桁）で届出する場合は「①個人番号」欄に左詰めで記入してください。

A. 被保険者

① 個人番号（または基礎年金番号）		② 生年月日	5. 昭和　7. 平成　年　月　日
③ 氏名	(フリガナ)	④ 性別	1. 男性　2. 女性
⑤ 郵便番号		⑥ 電話番号	1. 自宅　3. 勤務先　2. 携帯電話　4. その他　－　－
⑦ 住所			
⑧ 国籍（外国籍の方のみ）		⑨ 外国人通称名（住民票上の通称）	(フリガナ)

届出（申出）を行う「届書種類」に該当する番号を○で囲んだうえ、必要事項を記入してください。

B. 届出（申出）事項

⑩届書種類・番号		⑪該当・申出年月日／出産（予定）日	⑫理由等
資格取得届	1	平成	0. 20歳到達（学生）　1. 資格取得届出もれ　2.　3.　4. 任意加入の申出　5. その他
資格…		日	1.　2.　3.　4.　…該当
付加保険料納付・辞退申出		平成　令和	1. 納付…　2. 納…辞退の申出　3. 農業者年金の資格取得　4. 農業者年金の資格喪失
付加保険料該当・非該当届		年　月　日	
保険料免除理由該当届	8	平成　令和	1. 法第89条第1号（障害基礎年金等）　2. 法第89条第2号（生活扶助等）　3. 法第89条第3号（国立療養所等）
保険料免除理由消滅届	9	年　月　日	⑬保険料納付申出の確認　1. 希望する　2. 希望しない
基礎年金番号通知書再交付申請	10	平成　令和　月　日	1. 紛失　2. 破損（汚れ）　9. その他（　　）

単胎・多胎の別

…事項を記入してく…

C. 届出事項

届書	番号	年月日	⑫理由等	
住所変更届	11	平成　令和　年　月　日	変更前住所	
氏名変更届	12	平成　令和　年　月　日	変更前氏名	
死亡届	13	平成　令和　年　月　日	届出者連絡先	－　－

※　市区町村・日本年金機構連絡欄

⑭納付書関連	
作成不要	1
早期送付	2

2210 1016 005

②　保険料の納付を選択することもできる

将来の老齢基礎年金の金額を減らしたくない場合は、保険料を納付（**納付申出**）することができます。「納付申出」を選択した期間については、保険料を納めている人と同様の制度（前納制度、付加年金、国民年金基金の加入等）が利用できます。

「納付申出」を選択する場合は、国民年金被保険者関係届書（申出書）の「⑬保険料納付申出の確認」欄の「1. 希望する」に○をします。また、「1. 希望する」に○をした場合のみ下記の❶❷が手渡されますので、案内に沿って必要事項を記入します。

❶　国民年金保険料免除期間納付申出書

❷　国民年金保険料免除期間納付申出書についての確認（チェックシート）

③　どっちにするべき？　免除と納付

公的年金は１人に複数の年金の受給権がある場合、「１人１年金」の原則により、いずれか１つの年金を選択して受給することになります。生涯を通して障害基礎年金を受給する場合、老齢基礎年金を受け取る機会はありませんので、「納付申出」を選択する理由がなくなります。

とはいうものの、未来のことは誰にもわからず、どうすべきか悩みどころです。10年以内であれば、法定免除期間の保険料をさかのぼって納めることができる**追納制度**があります。３年度目以降に追納する場合は、当時の保険料額に一定の加算額が上乗せされますが、後からでも納付することができるので安心です。

保険料の免除と納付のどちらか迷った場合は、いったん免除としておき、しばらく様子を見てはいかがでしょうか。

2　更新（再認定）の手続きについて

足の切断など障害状態が不変のものは**永久認定**になり、障害状態が変わる可能性があるものは**有期認定**になります。知的・発達障害の障害の程度は、年齢や環境などにより社会生活の適応性が変化することから、ほとんどが有期認定となります。

有期認定は、障害の程度により1年～5年ごとに更新（再認定）の手続きが必要になります。更新（再認定）の時期は年金証書（☞166ページ 第4章15 年金決定通知書・年金証書の見方）の右下にある「次回診断書提出年月」で確認することができます。

①　障害状態確認届（更新診断書）が届く

障害状態確認届（更新診断書）と返信用封筒は、更新年月の3か月前の月末頃（4月が更新月の場合は1月末頃）に日本年金機構から送付されます。更新の手続きで必須のものは障害状態確認届のみです。新規裁定のように、病歴・就労状況等申立書などの提出は求められません。

②　医師に障害状態確認届の作成を依頼する

新規裁定（前回）で診断書を作成した医療機関であれば、カルテに保存されている前回の診断書データを参考に、「日常生活能力の判定」「日常生活能力の程度」は同等の評価となる傾向があります。前回と異なる医療機関の場合は、障害状態確認届の作成依頼時に前回の診断書コピーを渡すようにします。もし、前回の診断書コピーを保管していない場合は、前回の医療機関から交付してもらえます。

就労状況に変化がある場合は、「エ 現症時の就労状況」の参考情報（☞ **92ページ　第3章2 就労が不利に扱われないための対策**）のメモを一緒に渡すようにしましょう。

③　完成した障害状態確認届を確認する

医療機関から記入済みの障害状態確認届を受け取ったら、必ず内容を確認します。特に前回の診断書と比較して「日常生活能力の判定」「日常生活能力の程度」が著しく軽い評価に変更されていると、「改善」とみなされ減額改定（1級→2級）や支給停止の可能性があります。このような場合は、参考となる前回診断書コピーの存在を失念していることが考えられますので、診断書を作成した医師に確認するようにしましょう。訂正があった場合でも二重線で訂正（訂正印は不要）されていれば診断書を再作成する必要はありません。

④　障害状態確認届を提出する

記入済みの障害状態確認届は、保管用にコピーを取ってから切手を貼付した返信用封筒にて提出期限（更新年月の月末）までに日本年金機構へ送付します。お住まいの市区町村の役場窓口に提出することもできます。

やむを得ない事情で提出期限を過ぎてしまうときは提出期限までにお近くの年金事務所へ連絡します。

⑤　支給継続・等級変更なしの場合はハガキが届く

障害状態確認届を提出してから約4か月後に審査結果が届きま

す。期限までに提出すれば、審査結果を待っている間に年金支給が止まることはありません。同じ等級で継続決定の場合は圧着ハガキが届きます（**図表6－2**）。

圧着ハガキを開いた左ページ「次回の診断書の提出について（お知らせ）」に次回更新年月が、右ページ「診断書（障害状態確認届等）の審査結果について」には、同じ障害等級で引き続き障害年金を受給できる旨が記載されています。

■図表6－2　継続決定のハガキ

次回の診断書提出について（お知らせ）

お客様より提出された診断書（障害状態確認届等）を審査した結果、次回の診断書提出時期は以下のとおりとなりましたので、お知らせします。（ただし、今後、診断書の提出が必要ない場合には＊を表示しています。）

次回診断書提出時期・・・・・令和　　年　　月

診断書の用紙は、上記の月の**3か月前**の月末に、日本年金機構より送付しますので、誕生月の月末までに必ずご提出ください。

※障害年金を受けられる方、または遺族年金を受けられる方（障害等級1級または2級の状態にある方）は、厚生労働大臣が指定する日までに、診断書を提出いただくこととなっております。

年金証書の基礎年金番号・年金コード

●次回の診断書提出時期については、年金額が改定された場合など、変更となる場合があります。その際には、あらためてお知らせします。

厚生労働省年金局

診断書（障害状態確認届等）の審査結果について

【障害年金を受けられる方】
提出された診断書（障害状態確認届等）により障害の程度を審査した結果、障害の状態はこれまでと同程度と認められましたので、引き続き障害年金をお受けいただけます。
（障害等級に変更はありません。）

【遺族年金を受けられる方】
提出された診断書（障害状態確認届等）により障害の程度を審査した結果、障害の状態は障害等級１級または２級の状態にあると認められましたので、引き続き遺族年金をお受け取りいただけます。

⑥　等級変更や支給停止の場合は封書が届く

等級変更や支給停止となる場合は支給額変更通知書が封書で届きます。等級変更は新たに決定した等級、年金額、次回診断書提出年月等が記載されています。支給停止は等級、年金額等の記載はなく、支給停止の時期等が記載されています。

等級変更・支給停止になった場合の開始時期は以下の通りです。

❶　増額改定（2級→1級）

年金額が変更されるのは更新年月の翌月支給分からですが、既に変更前の金額で支給されている場合は、次回の支払時に差額を調整（加算）して支給されます。

❷　減額改定（1級→2級）

等級変更された年金額の変更は更新年月の翌月支給分ではなく、4か月後の支給分からになります。

なお、等級を上げる額改定請求は1年後から可能です。1年の起算点は、更新年月ではなく4か月後になるので注意が必要です。

❸　支給停止になった

2級不該当に決定されると支給停止となります。この場合の支給停止は減額改定と同じく、更新月の4か月後の支給分からになります。

なお、支給を再開させる支給停止事由消滅届の手続きは、1年を待たずいつでも可能です。

3　年金が支給停止になったり、等級が下がったりしたら

図表6－3は令和元年度の再認定における決定区分別件数（障害基礎年金）です。「継続」「増額」が98％以上を占めており、更新（再認定）の審査は、新規裁定の審査に比べてゆるやかであることがわかります。障害状態確認届の「日常生活能力の判定」「日常生活能力の程度」が前回の診断書と比較して著しく軽い評価となった場合を除き、支給停止や減額（1級→2級）は起こりにくいといえるでしょう。

■図表6－3　再認定における決定区分別件数（障害基礎年金）

継　続	96.7%
増　額	1.5%
減　額	0.8%
支給停止	1.0%

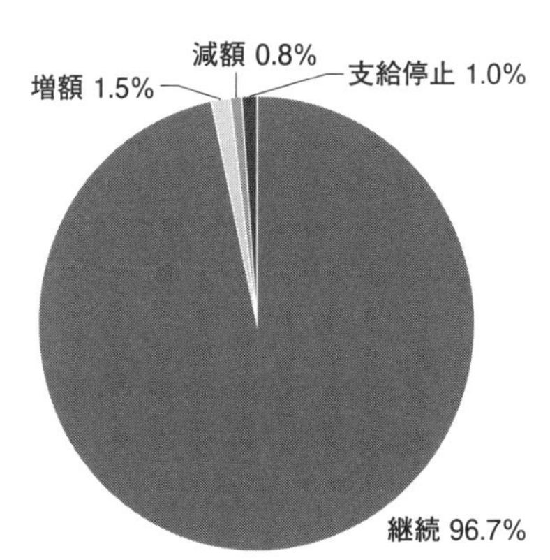

（出典：厚生労働省、第51回社会保障審議会年金事業管理部会 資料「障害年金の業務統計等について」令和2年9月10日）

とはいうものの、支給停止や減額の可能性はゼロではありません。更新（再認定）でも不服申立制度（☞ **172ページ 第5章 1 決定に納得できないときの不服申立制度**）の利用は可能ですが、

ゆるやかな審査にもかかわらず支給停止や減額となった決定を覆すことは現実的ではありません。

ここでは不服申立制度を使わず、支給停止や減額になってしまった場合の対処方法を解説します。

①　支給停止を解除（再開）させる手続き

障害年金が支給停止となってしまったときは、診断書を新たに作成してもらい、**支給停止事由消滅届（図表６－４）**を提出することで、支給停止を解除（再開）させることができます。支給停止事由消滅届の提出は支給停止の処分を受けた日の翌日から可能です。

支給停止事由消滅届が認定されて、１級または２級となった場合は、診断書現症日の翌月分より支給されます。支給停止の解除は、65歳到達または３級非該当となってから３年を経過のどちらか遅い日までの間に行う必要があります。なお、支給停止になっても受給権が消える訳ではありません。受給権は少なくとも65歳までは続きます。

■図表6－4　受給権者支給停止事由消滅届の記入例

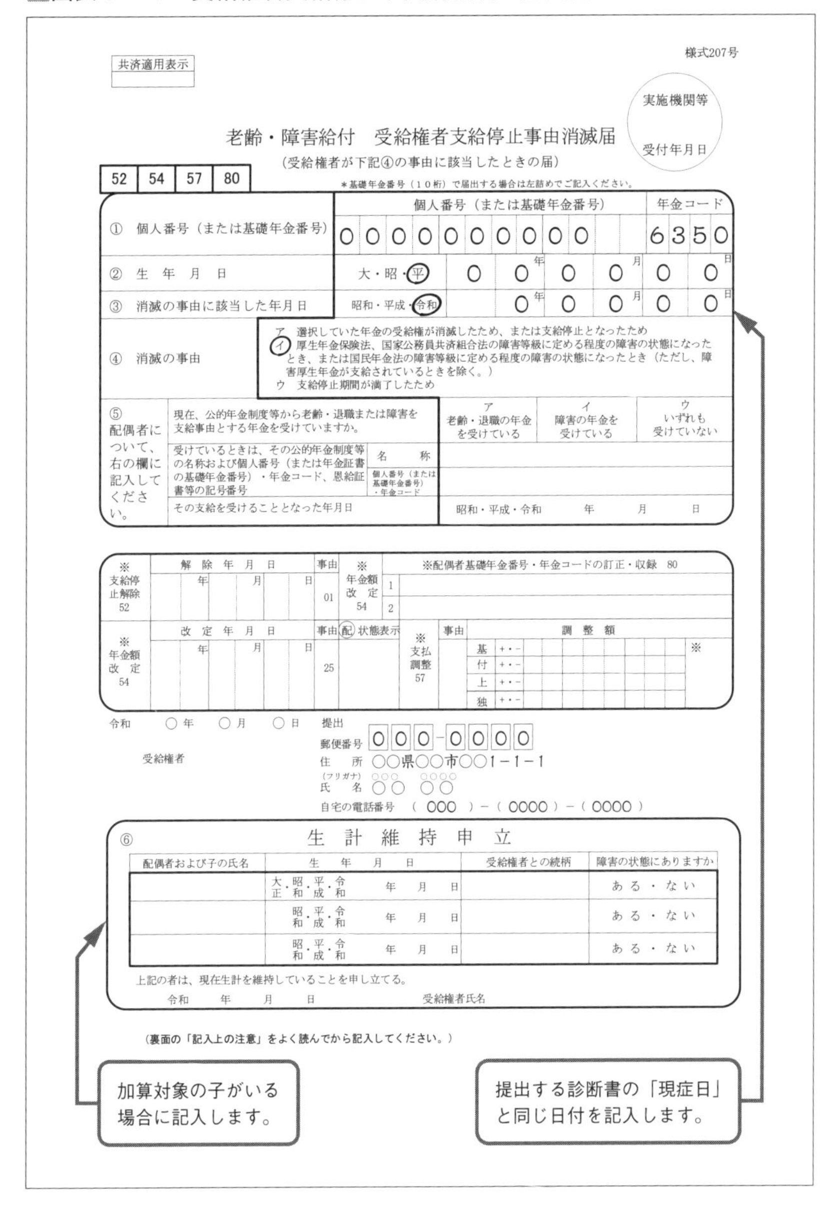

様式207号

共済適用表示

実施機関等 受付年月日

老齢・障害給付　受給権者支給停止事由消滅届

（受給権者が下記④の事由に該当したときの届）

52	54	57	80

＊基礎年金番号（１０桁）で届出する場合は左詰めでご記入ください。

	個人番号（または基礎年金番号）	年金コード
① 個人番号（または基礎年金番号）	0 0 0 0 0 0 0 0 0 0	6 3 5 0
② 生年月日	大・昭・（平） 0 0 年 0 0 月 0 0 日	
③ 消滅の事由に該当した年月日	昭和・平成・（令和） 0 年 0 0 月 0 0 日	

④ 消滅の事由

ア　選択していた年金の受給権が消滅したため、または支給停止となったため

（イ）　厚生年金保険法、国家公務員共済組合法の障害等級に定める程度の障害の状態になったとき、または国民年金法の障害等級に定める程度の障害の状態になったとき（ただし、障害厚生年金が支給されているときを除く。）

ウ　支給停止期間が満了したため

⑤ 配偶者について、右の欄に記入してください。		
	現在、公的年金制度等から老齢・退職または障害を支給事由とする年金を受けていますか。	ア 老齢・退職の年金を受けている／イ 障害の年金を受けている／ウ いずれも受けていない
	受けているときは、その公的年金制度等の名称および個人番号（または年金証書の基礎年金番号）・年金コード、恩給証書等の記号番号	名称
		個人番号（または基礎年金番号）・年金コード
	その支給を受けることとなった年月日	昭和・平成・令和　年　月　日

※ 支給停止解除 52	解除年月日	事由	※ 年金額改定 54	※配偶者基礎年金番号・年金コードの訂正・収録 80
	年　月　日	01	1	
			2	

※ 年金額改定 54	改定年月日	事由	配 状態表示	※ 支払調整 57	事由	調整額	※
	年　月　日	25				基 ＋・－	
						付 ＋・－	
						上 ＋・－	
						独 ＋・－	

令和　○年　○月　○日　提出

受給権者

郵便番号 000－0000

住　所 ○○県○○市○○1－1－1

（フリガナ）○○○　○○○○

氏　名 ○○　○○

自宅の電話番号　（ 000 ）－（ 0000 ）－（ 0000 ）

⑥ 生計維持申立

配偶者および子の氏名	生年月日	受給権者との続柄	障害の状態にありますか
	大正・昭和・平成・令和　年　月　日		ある・ない
	昭和・平成・令和　年　月　日		ある・ない
	昭和・平成・令和　年　月　日		ある・ない

上記の者は、現在生計を維持していることを申し立てる。

令和　年　月　日　　受給権者氏名

（裏面の「記入上の注意」をよく読んでから記入してください。）

②　２級から１級に戻す手続き

減額となってしまったときは、減額改定月（更新年月の３か月目の月の初日）から１年後であれば新たな診断書を作成してもらい、増額改定の請求額改定請求が可能です。これを**額改定請求**（☞**212ページ 本章４ ①１級へ増額改定の請求**）といいます。額改定請求が認められ１級になった場合は、額改定請求日の翌月分より増額改定されます。

<支給停止・減額への対処方法のまとめ>

	①　支給停止を再開させる	②　２級から１級に戻す
手続き可能時期	いつでも	更新年月の３か月目の初日から１年経過した日の翌日（８月が誕生月であれば、翌年の11月２日）
年金額へ反映	診断書現症日の翌月	請求日の翌月
必要書類	・支給停止事由消滅届 ・診断書（現症日の定めなし） ・年金生活者支援給付金請求書	・額改定請求書 ・診断書（現症日は請求日から３か月以内）

4　障害状態が重くなったり、身体の障害が加わったりしたら

新規裁定請求で２級に決定しても、その後障害の程度が重くなったときは、１級へ増額改定の請求が可能です。また、身体の障害が加わった場合も１級へ増額改定されることがあります。

①　１級へ増額改定の請求

保険者は更新（再認定）のタイミングで障害年金受給者の障害状態を確認しています。更新（再認定）を待たず、受給者自ら障害の程度が重くなったことを保険者に申し立てる手続きを**額改定請求**といいます。

知的・発達障害で額改定請求を行うケースとして多いのは、新規裁定請求で１級を想定していたけれども、２級となってしまった場合です。年金証書（☞ **166ページ 第４章15 年金決定通知書・年金証書の見方**）の上部に記載されている「受給権を取得した年月」から１年以上経過していれば額改定請求により１級へ再チャレンジが可能です。額改定請求が認められ１級になった場合は、額改定請求日の翌月分より増額改定されます。

額改定請求に必要な書類は、額改定請求書、診断書（請求日３か月以内の現症日）、年金証書です。

図表6－5　額改定請求書の記入例

共済適用表示

様式第210号

障害給付　額改定請求書

（障害給付を受ける原因となった障害の程度が重くなったときの届
障害給付を受けられるようになった以後の疾病または負傷により障害の程度が重くなったときの届）

33	54	56	57	80

＊基礎年金番号（１０桁）で届出する場合は左詰めでご記入ください。

① 個人番号（または基礎年金番号）および年金コード	個人番号（または基礎年金番号）：0000000000　年金コード：6350
② 生年月日	大・昭・(平)・令　00年00月00日
③ 障害給付を受ける原因となった疾病または負傷の傷病名	知的障害（発達障害）
④ 障害給付を受ける権利が発生した年月日	昭和・平成・(令和)　0年00月00日
⑤ ③以外の疾病または負傷の傷病名	
⑥ ⑤の疾病または負傷の初診日	昭和・平成・令和　年　月　日
⑦ 障害給付を受ける権利が発生した以降に取得した基礎年金番号と異なる年金手帳等の記号番号	

⑧ 障害給付を受ける権利が発生した年月日以降の職歴

事業所名称等	事業所(国民年金加入時)所在地	加入期間	加入制度
		・・から ・・まで	国民年金・厚生年金保険 共済組合等・厚生年金(船員)保険
		・・から ・・まで	国民年金・厚生年金保険 共済組合等・厚生年金(船員)保険
		・・から ・・まで	国民年金・厚生年金保険 共済組合等・厚生年金(船員)保険

⑨		
あなたは現在、当該障害基礎年金、障害厚生年金または障害共済年金以外に公的年金制度から年金を受けていますか。受けている方・請求中の方は、その制度の名称および年金証書の年金コード、恩給証書等の記号番号をご記入ください。	ア　受けている　・(イ)いない　・　ウ　請求中	
	名称	
	年金コード・恩給証書等の記号番号	
⑩ 上記の年金を受けている方は、その支給を受けることとなった年月日	昭和・平成・令和　年　月　日	

⑪	氏名	生年月日	個人番号	続柄・障害の有無
加算額・加給年金額対象者欄		大・昭・平・令　年　月　日		配偶者・子（障害　有・無）
		昭・平・令　年　月　日		子（障害　有・無）
		昭・平・令　年　月　日		子（障害　有・無）

⑫ 配偶者についてご記入ください。

		ア	イ	ウ
現在、公的年金制度等から老齢・退職または障害の年金を受けていますか。		老齢・退職の年金を受けている。	障害の年金を受けている。	いずれも受けていない。
受けているときは、その公的年金制度等の名称および個人番号（または年金証書の基礎年金番号）・年金コード、恩給証書等の記号番号	名称			
	個人番号（または基礎年金番号）・年金コード等			
その支給を受けることとなった年月日		昭和・平成・令和　年　月　日		

（裏面の「記入上の注意」をよく読んでからご記入ください。）

年金事務所等で確認できます。20歳前傷病は20歳到達日（20歳の誕生日の前日）になることが多いです。

加算対象の子がいる場合に記入します。

②　身体の障害が加わったら

障害年金の対象となる病気やケガは、手足の障害などの外部障害のほか、がん、糖尿病などの内部障害も含まれます。新たに身体の障害が加わった場合は、身体の障害で新規裁定請求により２級に決定すると、知的・発達障害の２級と併せて１級に増額改定されます。これを**併合認定**といいます。

5　新たに子が増えたら

障害基礎年金の受給権を得た後に、出産や結婚した際の養子縁組などで生計を維持する子が増えた場合、**障害給付加算額・加給年金額加算開始事由該当届**を提出することにより「子の加算」が上乗せされて支給されます。

なお、児童扶養手当（児童を養育するひとり親家庭等の手当）を受け取る場合、子の加算額と同額分が支給停止となり、差額が支給されます。詳しくは、お住まいの市区町村の児童扶養手当担当窓口にお問い合わせください。

＜子の加算額（令和６年度）＞

<table>
<tr><th></th><th>金　額</th><th>年齢制限</th></tr>
<tr><td>子２人まで</td><td>１人につき
234,800円</td><td rowspan="2">·18歳になった後の最初の３月31日までの子
·20歳未満で障害等級１級または２級の障害の状態にある子</td></tr>
<tr><td>子３人目以降</td><td>１人につき
78,300円</td></tr>
</table>

＜共通して必要になるもの＞

□障害給付加算額・加給年金額加算開始事由該当届	年金事務所または市区町村役場で書式を受け取り、本人または家族等が記入したもの。日本年金機構のホームページからダウンロードもできます。
□戸籍謄本	加算対象の子と受給権者との家族関係を明らかにするため戸籍謄本を提出します。

<該当する場合のみ必要になるもの>

□子の在学証明書または学生証のコピー	加算対象の子が義務教育終了後、高等学校等に在籍している場合に提出します（義務教育終了前の子については不要）。 義務教育終了後に就労している場合は、所得証明書を提出します（マイナンバーの記載で省略できる場合あり）。
□子の診断書	20 歳未満かつ障害等級の 1 級または 2 級に該当する程度の障害の状態にある子がいる場合のみ（特別児童扶養手当の診断書コピーで代替可）。
□子の療育手帳等のコピー	加算対象の子が療育手帳、精神障害者保健福祉手帳、身体障害者手帳を所持している場合、そのコピーを提出します。

6　65歳になったら

日本の公的年金制度は、20歳以上60歳未満の全ての方が加入する国民年金（基礎年金ともいいます）と、会社員・公務員の方が加入する厚生年金の2階建て構造になっています。老齢基礎年金と老齢厚生年金の受給開始年齢は65歳です。障害基礎年金を受けている方が老齢基礎年金と老齢厚生年金を受けられるようになったときは、65歳以後、次のいずれかの組合せを選択することになります。

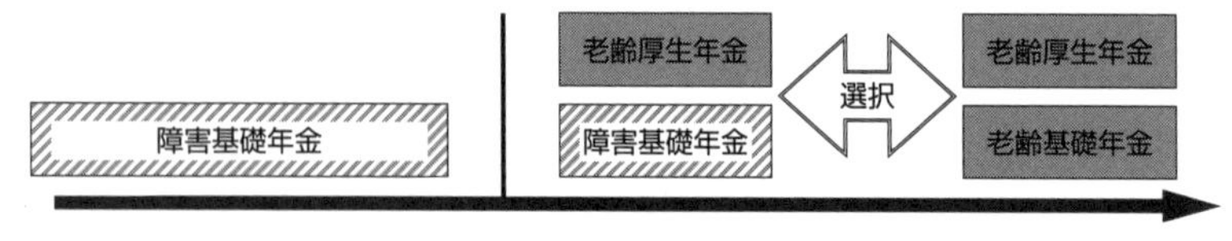

例えばAさんは20歳で障害基礎年金を受給開始、25歳で就職（厚生年金加入）、40年間障害基礎年金を受給しながら就労を継続したとします。Aさんが65歳になったとき老齢基礎年金と老齢厚生年金を受給する権利を得ます。このとき、1階部分は新たに受給権を得た老齢基礎年金と既存の障害基礎年金のどちらか有利なほうを選択します。障害基礎年金の年金額は老齢基礎年金の満額（40年間未納なく保険料を納めた額）と同額であること、非課税であることから、障害基礎年金を選択することが一般的です。

2階部分の老齢厚生年金は、厚生年金に加入していたときの報酬額や加入期間（1か月だけでも年金額に反映）に応じて年金額が計算されます。

7　特別障害者手当や他制度との併給調整

社会保障の制度には、何かを受給したときに、他の支給額が減額されたり支給停止になったりする併給調整のしくみがあります。ここでは、それぞれの制度の特徴と併給調整の有無について解説します。

①　特別障害者手当

特別障害者手当は、日常生活において常時特別の介護を必要とする身体もしくは精神に重度の障害がある方に対して、経済的・精神的な負担を軽減する目的で国から支給される手当です。

20 歳前傷病による障害年金を受給していても、所得制限の対象にならなければどちらも受け取ることができます。

（ア）　対象者

精神または身体に著しく重度の障害を有するため、日常生活において常時特別の介護を必要とする状態にある、在宅の 20 歳以上の方です。障害者支援施設（生活介護）に入所中の方、病院に入院中（3 か月以上）の方、日本国内に住所がない方は対象外になります。

なお、グループホーム、宿泊型自立訓練施設の利用は「在宅」とみなされ、特別障害者手当の対象となります。

（イ）　手当額と支給月

月額は 28,840 円（令和 6 年 4 月改定）です。本人が指定する金融機関の口座へ、2 月・5 月・8 月・11 月の 10 日に、その前月までの3か月分がまとめて振り込まれます。10日が土曜日、日曜日または祝日のときは、その直前の平日となります。

（ウ）　所得制限

本人（特別障害者）の前年の所得が一定の額を超えるとき、もしくはその配偶者または受給資格者の生計を維持する扶養義務者（同居する父母等）の前年の所得が一定の額以上であるときは支給されません（**図表6－6**）。

■図表6－6　特別障害者手当の所得による支給制限

扶養親族等の数	前年分の所得	
	本人（特別障害者）	配偶者または扶養義務者
0人	3,604,000円	6,287,000円
1人	3,984,000円	6,536,000円
2人	4,364,000円	6,749,000円
3人	4,744,000円	6,962,000円
備　考	・以下、1人増すごとに本人の場合380,000円、配偶者または扶養義務者の場合213,000円を加算 ・本人が障害年金等公的年金を受給している場合、年金額は所得に算入	

（エ）　障害の程度

対象となる障害の程度は「著しく重度の障害」です。著しく重度の障害とは、おおむね次の通りになります（特別児童扶養手当等の支給に関する法律）。

❶　重度の障害が2つ以上
❷　重度が1つとやや重度の障害が2つ以上
❸　最重度の障害が1つ

❶と❷は身体と知的（発達）障害など2つ以上の場合ですので、

知的・発達障害のみの場合は❸の「最重度の障害」が対象とされ、次の「障害の程度」（**図表6－7**）、「日常生活能力判定表」（**図表6－8**）両方で「最重度」に該当する必要があります。

図表6－7　障害の程度

（知的障害）
- 知的障害によるものにあっては、食事や身のまわりのことを行うのに全面的な援助が必要であって、かつ、会話による意思の疎通が不可能か著しく困難なもの
- 「重度」「最重度」の目安は知能指数20以下であり、次の表に当てはまるもの

［知的機能の程度（18歳以上）］

重　度	最重度
1　日常会話はある程度できる。 2　ひらがなはどうにか読み書きできる。 3　数量処理は困難	1　会話は困難 2　文字の読み書きはできない。 3　数の理解はほとんどできない。 4　身辺処理はほとんど不可能。 5　作業能力はほとんどない。

（発達障害）
- 社会性やコミュニケーション能力が欠如しており、かつ、著しく不適応な行動が見られるもの
- 発達障害とは、自閉症、アスペルガー症候群その他の広汎性発達障害、学習障害、注意欠陥多動性障害など

図表6－8　日常生活能力判定表

日常生活能力は次の日常生活能力判定表の合計点で判断します。
「最重度」14点以上　「重度」10点～13点

動作及び行動の種類	0点	1点	2点
1 食事	ひとりでできる	介助があればできる	できない
2 用便（月経）の始末	ひとりでできる	介助があればできる	できない
3 衣服の着脱	ひとりでできる	介助があればできる	できない
4 簡単な買物	ひとりでできる	介助があればできる	できない
5 家族との会話	通じる	少しは通じる	通じない
6 家族以外の者との会話	通じる	少しは通じる	通じない
7 刃物・火の危険	わかる	少しはわかる	わからない
8 戸外での危険から身を守る（交通事故）	守ることができる	不十分ながら守ることができる	守ることができない

（出典：厚生労働省、「障害児福祉手当及び特別障害者手当の障害程度認定基準について」（昭和60年12月28日 社更第162号）、第13次改正　令和3年12月24日障発1224第3号）

（オ）認定割合

令和3年度は20,982件（前年度末現在の未処理件数＋認定請求書受付件数－年度末現在未処理件数）の処理件数に対して、受給資格認定件数は17,145件（約81.7%）、却下件数は3,837件（約18.3%）でした。

（出典：厚生労働省、令和3年度 福祉行政報告例 障害児関係・障害児福祉手当等・特別児童扶養手当（第4表））

（カ）申請窓口

申請先は住所地にある市区町村役場の障害福祉担当窓口になります。申請に必要な書類は次の通りですが、自治体により申請書類が異なる場合がありますので、あらかじめ担当窓口へ問い合わせてください。

・特別障害者手当認定請求書（申請窓口で受け取る）
・特別障害者認定診断書（申請窓口で受け取る）

・療育手帳、精神障害者保健福祉手帳、身体障害者手帳をお持ちの方はその手帳
・年金証書（受給している方）
・金融機関の通帳（本人名義のもの）
・個人番号（マイナンバー）のわかるもの
・本人確認書類

②　傷病手当金

傷病手当金は、病気休業中に健康保険の被保険者とその家族の生活を保障するために設けられた制度で、被保険者が病気やケガのために会社を休み、事業主から十分な報酬が受けられない場合に支給されます。

20歳前傷病による障害年金（障害基礎年金）を受給していても、所得制限の対象にならなければどちらも受け取ることができます。

ちなみに、厚生年金加入中の病気やケガで障害厚生年金を受給することも考えられます。給付の原因が同一傷病の障害厚生年金（2級以上の「障害厚生年金＋障害基礎年金」を含む）を受給すると傷病手当金は併給調整の対象となり、原則として支給停止（または差額のみ支給）となります。

③　雇用保険の給付

会社などで雇用されていた方が離職した場合、失業中の生活を心配しないで再就職活動ができるよう、一定の要件を満たせば、雇用保険の「基本手当（いわゆる失業給付）」を受けることができます。この他、傷病のために再就職活動ができない場合に、基本手当に代えて支給される傷病手当、早期に再就職が決まった場合の再就職手当などと障害年金の併給調整はありません。20歳前傷病による障害年金を受給していても、所得制限の対象にならなければどち

らも受け取ることができます。

④　生活保護

生活保護は、さまざまな制度を活用しても生活に困る全ての方に、その状況に応じて必要な保護を行い、健康で文化的な最低限度の生活を保障し、自立した生活が送れるよう支援する制度です。

生活保護を受給するための要件として他法優先という考え方があります。他の法律や施策の中で使える制度があれば優先的に使ったうえで、それでも困窮している場合には生活保護が利用できるというものです。障害年金の受給者が生活保護を申請すると、障害年金の金額を収入として認定したうえで（差額分の）生活保護費が決定されます。生活保護費と20歳前傷病の障害年金は、実質的に併給調整の対象になります。

＜他制度との併給調整まとめ＞

制度の組合せ		両制度とも満額受給
20歳前傷病の障害年金	① 特別障害者手当	○
	② 傷病手当金	○
	③ 雇用保険の給付	○
	④ 生活保護	×（生活保護は差額のみ）

〈巻末資料〉

1　知的障害の診断書記載例（平塚湊さん）

2　発達障害の診断書記載例（横浜未来さん）

1 知的障害の診断書記載例（平塚湊さん）

（精） 国民年金 厚生年金保険　**診断書**（精神の障害用）　様式第120号の4

「診療録で確認」または「本人の申立て」のどちらかを○で囲み、本人の申立ての場合は、それを聴取した年月日を記入してください。

（フリガナ）氏名	ヒラツカ ミナト 平塚 湊	生年月日	昭和・（平成）・令和 16年 10月 11日 生（19歳）	性別 （男）・女
住所	住所地の郵便番号 000-0000	○○ 都道府（県） ○○ 郡（市）区 ○○ 1-2-3		

① 障害の原因となった傷病名	知的障害 ICD－10コード（F70）	② 傷病の発生年月日	昭和・（平成）・令和 16年 10月 11日	（診療録で確認）・本人の申立て（ 年 月 日）	本人の発病時の職業：なし
		③ ①のため初めて医師の診療を受けた日	昭和・（平成）・令和 16年 10月 11日	（診療録で確認）・本人の申立て（ 年 月 日）	④既存障害：なし
⑥ 傷病が治った（症状が固定した状態を含む。）かどうか。	平成・令和 年 月 日 確認・推定	症状のよくなる見込・・・ 有・無・不明			⑤既往症：なし

⑦ 発病から現在までの病歴及び治療の経過、内容、就学・就労状況等、期間、その他参考となる事項

陳述者の氏名 平塚 さがみ　請求人との続柄 母　聴取年月日 令和6年 9月 16日

妊娠出産に明らかな異常はなかった。歩き出しが遅く、3歳頃までずりばいをしていた。幼稚園では言葉の遅れを指摘されたが、大きな問題になることはなかった。小学校は普通級に通ったが、ひらがなが覚えられず、学習面の遅れを指摘された。児童相談所で知的障害の判定を受け、小2から支援級に通うようになった。小学校卒業後は、中高一貫のフリースクール○○学園に進学。共通の趣味（鉄道）を持つ友人はいたが、それ以外の人との会話は極端に緊張してしまい、自分から話しかけることができなかった。高校卒業後は、障害者雇用で清掃の仕事に就いた。

⑧ 診断書作成医療機関における初診時所見

初診年月日（昭和・平成・（令和））6年 9月 16日

診察中は緊張した面持ちで静かに話が聞けていた。目を合わせることは苦手。独り言のように単語だけで返答することが多く、代わりに母親に答えてもらうことが多かった。

⑨ これまでの発育・養育歴等（出生から発育の状況や教育歴及びこれまでの職歴をできるだけ詳しく記入してください。）

ア 発育・養育歴
周産期は特記すべきことなし。
言語発達の遅れあり。

イ 教育歴
乳児期
不就学 ・ 就学猶予
小学校（普通学級・（特別支援学級）・特別支援学校）
中学校（普通学級・特別支援学級・（特別支援学校））
高 校（普通学級・（特別支援学校））
その他

ウ 職歴
清掃業務（障害者雇用）

エ 治療歴（書ききれない場合は⑬「備考」欄に記入してください。）（※ 同一医療機関の入院・外来は分けて記入してください。）

医療機関名	治療期間	入院・外来	病名	主な療法	転帰（軽快・悪化・不変）
○○メンタルクリニック	R6年 9月～ 年 月	入院・（外来）	知的障害	精神療法	不変

（お願い）臨床

見等は、診療録に基づいてわかる範囲で記入してください。

年　月～　年　月	入院・外来		
年　月～　年　月	入院・外来		
年　月～　年　月	入院・外来		

⑩ 障害の状態 （ 平成・(令和) 6 年 9 月 16 日 現症 ）

ア　現在の病状又は状態像（該当のローマ数字、英数字を○で囲んでください。）

前回の診断書の記載時との比較（前回の診断書を作成している場合は記入してください。）
1 変化なし　2 改善している　3 悪化している　4 不明

Ⅰ 抑うつ状態
1 思考・運動制止　2 刺激性、興奮　3 憂うつ気分
4 自殺企図　5 希死念慮
6 その他（　）

Ⅱ そう状態
1 行為心迫　2 多弁・多動　3 気分（感情）の異常な高揚・刺激性
4 観念奔逸　5 易怒性・被刺激性亢進　6 誇大妄想
7 その他（　）

Ⅲ 幻覚妄想状態　等
1 幻覚　2 妄想　3 させられ体験　4 思考形式の障害
5 著しい奇異な行為　6 その他（　）

Ⅳ 精神運動興奮状態及び昏迷の状態
1 興奮　2 昏迷　3 拒絶・拒食　4 滅裂思考
5 衝動行為　6 自傷　7 無動・無反応
8 その他（　）

Ⅴ 統合失調症等残遺状態
1 自閉　2 感情の平板化　3 意欲の減退
4 その他（　）

Ⅵ 意識障害・てんかん
1 意識混濁　2 (夜間)せん妄　3 もうろう　4 錯乱
5 てんかん発作　6 不機嫌症　7 その他（　）
・てんかん発作の状態　※発作のタイプは記入上の注意参照
1 てんかん発作のタイプ　（ A ・ B ・ C ・ D ）
2 てんかん発作の頻度（年間　回、月平均　回、週平均　回　程度）

(Ⅶ) 知能障害等
(1) 知的障害　(ア) 軽度　イ 中等度　ウ 重度　エ 最重度
2 認知症　ア 軽度　イ 中等度　ウ 重度　エ 最重度
3 高次脳機能障害
ア 失行　イ 失認
ウ 記憶障害　エ 注意障害　オ 遂行機能障害　カ 社会的行動障害
4 学習障害　ア 読み　イ 書き　ウ 計算　エ その他（　）
5 その他（　）

Ⅷ 発達障害関連症状
1 相互的な社会関係の質的障害　2 言語コミュニケーションの障害
3 限定した常同的で反復的な関心と行動　4 その他（　）

Ⅸ 人格変化
1 欠陥状態　2 無関心　3 無為
4 その他症状等（　）

Ⅹ 乱用、依存等（薬物等名：　）
1 乱用　2 依存

Ⅺ その他〔　〕

イ　左記の状態について、その程度・症状・処方薬等を具体的に記載してください。

思っていることを上手く言葉にできないため、嫌なことがあっても我慢してしまう。自発的な会話や行動がとれないため、常に指示を待っている状態である。
人を信じ過ぎてしまう傾向があり、宗教勧誘に応じてしまったことがある。
金銭管理はまったくできない。季節に応じた衣類を選択することができない。部屋の整理整頓はまったくできない。そのため、日常生活には家族の援助が不可欠な状況である。就労の場面では、話し言葉をやり取りの手段として用いることや、深い意味理解は難しく、判断して作業を行うことや危険予知等は不能である。そのため、指導員が作業毎に手本を示し、本人が適切に作業を行えるまで指導、見守りを行っている。

（お願い）太文字の欄は、記入漏れがないように記入してください。

本人の障害の程度及び状態に無関係な欄には記入する必要はありません。（無関係な欄は、斜線により抹消してください。）

ウ　**日常生活状況**

1　家庭及び社会生活についての具体的な状況

（ア）現在の生活環境（該当するもの一つを○で囲んでください。）

入院　・　入所　・　○在宅　・　その他（　　　　　）

（施設名　　　　　　　）

同居者の有無　（ ○有　・　無 ）

（イ）全般的状況（家族及び家族以外の者との対人関係についても具体的に記入してください。）

［ 支援学校時代の友人とＬＩＮＥで連絡は取っているが友人同士で出かけることはない。 ］

2　**日常生活能力の判定（該当するものにチェックしてください。）**
（判断にあたっては、単身で生活するとしたら可能かどうかで判断してください。）

（1）**適切な食事**ー配膳などの準備も含めて適当量をバランスよく摂ることがほぼできるなど。

□できる　□自発的にできるが時には助言や指導を必要とする　☑自発的かつ適正に行うことはできないが助言や指導があればできる　□助言や指導をしてもできない若しくは行わない

（2）**身辺の清潔保持**ー洗面、洗髪、入浴等の身体の衛生保持や着替え等ができる。また、自室の清掃や片付けができるなど。

□できる　□自発的にできるが時には助言や指導を必要とする　☑自発的かつ適正に行うことはできないが助言や指導があればできる　□助言や指導をしてもできない若しくは行わない

（3）**金銭管理と買い物**ー金銭を独力で適切に管理し、やりくりがほぼできる。また、一人で買い物が可能であり、計画的な買い物がほぼできるなど。

□できる　□おおむねできるが時には助言や指導を必要とする　□助言や指導があればできる　☑助言や指導をしてもできない若しくは行わない

（4）**通院と服薬（要・不要）**ー規則的に通院や服薬を行い、病状等を主治医に伝えることができるなど。

□できる　☑おおむねできるが時には助言や指導を必要とする　□助言や指導があればできる　□助言や指導をしてもできない若しくは行わない

（5）**他人との意思伝達及び対人関係**ー他人の話を聞く、自分の意思を相手に伝える、集団的行動が行えるなど。

□できる　□おおむねできるが時には助言や指導を必要とする　☑助言や指導があればできる　□助言や指導をしてもできない若しくは行わない

（6）**身辺の安全保持及び危機対応**ー事故等の危険から身を守る能力がある、通常と異なる事態となった時に他人に援助を求めるなどを含めて、適正に対応することができるなど。

3　**日常生活能力の程度（該当するもの一つを○で囲んでください。）**
※ 日常生活能力の程度を記載する際には、状態をもっとも適切に記載できる（精神障害）又は（知的障害）のどちらかを使用してください。

（精神障害）

（1）精神障害（病的体験・残遺症状・認知障害・性格変化等）を認めるが、社会生活は普通にできる。

（2）精神障害を認め、家庭内での日常生活は普通にできるが、社会生活には、援助が必要である。
（たとえば、日常的な家事をこなすことはできるが、状況や手順が変化したりすると困難を生じることがある。社会行動や自発的な行動が適切に出来ないこともある。金銭管理はおおむねできる場合など。）

（3）精神障害を認め、家庭内での単純な日常生活はできるが、時に応じて援助が必要である。
（たとえば、習慣化した外出はできるが、家事をこなすために助言や指導を必要とする。社会的な対人交流は乏しく、自発的な行動に困難がある。金銭管理が困難な場合など。）

（4）精神障害を認め、日常生活における身のまわりのことも、多くの援助が必要である。
（たとえば、著しく適正を欠く行動が見受けられる。自発的な発言が少ない、あっても発言内容が不適切であったり不明瞭であったりする。金銭管理ができない場合など。）

（5）精神障害を認め、身のまわりのこともほとんどできないため、常時の援助が必要である。
（たとえば、家庭内生活においても、食事や身のまわりのことを自発的にすることができない。また、在宅の場合に通院等の外出には、付き添いが必要な場合など。）

（知的障害）

（1）知的障害を認めるが、社会生活は普通にできる。

（2）知的障害を認め、家庭内での日常生活は普通にできるが、社会生活には、援助が必要である。
（たとえば、簡単な漢字は読み書きができ、会話も意思の疎通が可能であるが、抽象的なことは難しい。身辺生活も一人でできる程度）

○（3）知的障害を認め、家庭内での単純な日常生活はできるが、時に応じて援助が必要である。
（たとえば、ごく簡単な読み書きや計算はでき、助言などがあれば作業は可能である。具体的指示であれば理解ができ、身辺生活についてもおおむね一人でできる程度）

（4）知的障害を認め、日常生活における身のまわりのことも、多くの援助が必要である。

□できる　□（おおむねできるが時）には助言や指導を必要とする　☑（助言や指導があればで）きる　□（できない若しくは行）わない

（７）**社会性**ー銀行での金銭の出し入れや公共施設等の利用が一人で可能。また、社会生活に必要な手続きが行えるなど。

□できる　□おおむねできるが時には助言や指導を必要とする　□助言や指導があればできる　☑助言や指導をしてもできない若しくは行わない

（は可能である。習慣化していることであれば言葉での指示を理解し、身辺生活についても部分的にできる程度）

（５）　知的障害を認め、身のまわりのこともほとんどできないため、常時の援助が必要である。
（たとえば、文字や数の理解力がほとんど無く、簡単な手伝いもできない。言葉による意思の疎通がほとんど不可能であり、身辺生活の処理も一人ではできない程度）

エ　現症時の就労状況
○勤務先　・（一般企業）　・就労支援施設　・その他（　　　）
○雇用体系　・（障害者雇用）　・一般雇用　・自営　・その他（　　　）
○勤続年数（ 1 年 5 ヶ月）　○仕事の頻度（週に）・月に（ 5 ）日）
○ひと月の給与（ 14万 円程度）
○仕事の内容　清掃
○仕事場での援助の状況や意思疎通の状況
単純かつ反復的な作業のため、適切な支援、見守りがあれば作業を遂行することができる。
他の従業員とは最低限のコミュニケーションのみ。

オ　身体所見（神経学的な所見を含む。）

カ　臨床検査（心理テスト・認知検査、知能障害の場合は、知能指数、精神年齢を含む。）
田中ビネー式知能検査　IQ51 ～ 60

キ　福祉サービスの利用状況（障害者総合支援法に規定する自立訓練、共同生活援助、居宅介護、その他障害福祉サービス等）

⑪ **現症時の日常生活活動能力及び労働能力**（必ず記入してください。）	日常生活では規則正しい生活を維持する為には多くの声かけが必要である。 労働能力は周囲の見守り、協力のもとで軽作業は可能と考える。
⑫ **予　後**（必ず記入してください。）	不明
⑬ 備　考	

上記のとおり、診断します。　令和6 年 9 月 16 日

病院又は診療所の名称　○○メンタルクリニック　　診療担当科名　精神科

所　在　地　○○県○○市○○ 1-2-3　　医師氏名　○○ ○

2 発達障害の診断書記載例（横浜未来さん）

精　国民年金 厚生年金保険

診　断　書（精神の障害用）

様式第120号の4

「診療録で確認」または「本人の申立て」のどちらかを○で囲み、本人の申立ての場合は、それを聴取した年月日を記入してください。

(フリガナ) 氏名	ヨコハマ ミキ 横浜 未来	生年月日	昭和・(平成)・令和 16年 8月 5日生（20歳）	性別	男・(女)
住所	住所地の郵便番号 000-0000	○○ 都道府(県) ○○ 郡(市)区 ○○ 1-2-3			

① 障害の原因となった傷病名	② 傷病の発生年月日	昭和・(平成)・令和 16年 8月 5日	(診療録で確認)・本人の申立て（ 年 月 日）	本人の発病時の職業	なし
自閉症スペクトラム障害 ICD−10コード（ F84 ）	③ ①のため初めて医師の診療を受けた日	昭和・(平成)・令和 27年 5月 10日	(診療録で確認)・本人の申立て（ 年 月 日）	④既存障害	特記なし
⑥ 傷病が治った（症状が固定した状態を含む。）かどうか。	平成・令和 年 月 日 確認・推定	症状のよくなる見込・・・ 有・無・不明		⑤既往症	特記なし

⑦ 発病から現在までの病歴及び治療の経過、内容、就学・就労状況等、期間、その他参考となる事項

陳述者の氏名　横浜　桜　　請求人との続柄　母　　聴取年月日　令和6年 8月 27日

幼児期に発達の遅れはなかった。保育園では他児との交流が持てず、こだわりも強かった。小学校は普通級だが、周囲の状況に反応せず、集団活動に参加することが難しかった。対人緊張が強く、小学校４年から不登校となった。平成27年５月10日、○○病院小児科を受診し自閉症、小児期の社交不安障害と診断された。中学は少人数の支援級に進み通学できるようになったが、全校行事などストレスになることがあると容易に体調を崩した。中３時に療育手帳を取得。高校は支援学校に進学。環境、人間関係ともに良好で会話ができるようになった。高校卒業後は就労移行支援事業所へ通所。令和５年５月21日、当院初診。令和６年４月、特例子会社に就職。簡単なPC入力、DM発送、備品管理等を行っている。

⑧ 診断書作成医療機関における初診時所見

初診年月日（昭和・平成・(令和)） 5年 5月 21日

○○病院小児科の紹介。母が今までの経緯を話す間、隣で何も言わず聞いている。表情変化は少ない。家庭や就労移行支援事業所での様子を問うと、口数は少ないが適切に返答した。

⑨ これまでの発育・養育歴等（出生から発育の状況や教育歴及びこれまでの職歴をできるだけ詳しく記入してください。）

ア　発育・養育歴

発達の遅れは目立たず、保育園では先生から離れられなかった。小学校は集団適応に困難で小４から不登校。中学から支援級。高校は支援学校高等部を卒業した。

イ　教育歴

乳児期
不就学 ・就学猶予
小学校（(普通学級)・特別支援学級・特別支援学校）
中学校（普通学級・(特別支援学級)・特別支援学校）
高　校（普通学級・(特別支援学校)）
その他

ウ　職歴

特例子会社（令和６年４月～）

エ　治療歴（書ききれない場合は⑬「備考」欄に記入してください。）（※　同一医療機関の入院・外来は分けて記入してください。）

医療機関名	治療期間	入院・外来	病名	主な療法	転帰（軽快・悪化・不変）
○○病院小児科	H27年 5月～R5年 4月	入院・(外来)	自閉症・社交不安障害	検査、薬物療法	不変
当院	R5年 5月～ 年 月	入院・(外来)	自閉症スペクトラム障害	精神療法、薬物療法	不変

（お願い）臨床

見等は、診療録に基づいてわかる範囲で記入してください。

	年　月〜　年　月	入院・外来			
	年　月〜　年　月	入院・外来			
	年　月〜　年　月	入院・外来			

⑩　障害の状態　（平成・(令和)　6　年　8　月　27　日　現症）

ア　現在の病状又は状態像（該当のローマ数字、英数字を○で囲んでください。）

前回の診断書の記載時との比較（前回の診断書を作成している場合は記入してください。）
1　変化なし　2　改善している　3　悪化している　4　不明

(Ⅰ)　抑うつ状態
1　思考・運動制止　2　刺激性、興奮　(3)　憂うつ気分
4　自殺企図　5　希死念慮
6　その他（　）

Ⅱ　そう状態
1　行為心迫　2　多弁・多動　3　気分（感情）の異常な高揚・刺激性
4　観念奔逸　5　易怒性・被刺激性亢進　6　誇大妄想
7　その他（　）

Ⅲ　幻覚妄想状態　等
1　幻覚　2　妄想　3　させられ体験　4　思考形式の障害
5　著しい奇異な行為　6　その他（　）

Ⅳ　精神運動興奮状態及び昏迷の状態
1　興奮　2　昏迷　3　拒絶・拒食　4　滅裂思考
5　衝動行為　6　自傷　7　無動・無反応
8　その他（　）

Ⅴ　統合失調症等残遺状態
1　自閉　2　感情の平板化　3　意欲の減退
4　その他（　）

Ⅵ　意識障害・てんかん
1　意識混濁　2　（夜間）せん妄　3　もうろう　4　錯乱
5　てんかん発作　6　不機嫌症　7　その他（　）
・てんかん発作の状態　※発作のタイプは記入上の注意参照
1　てんかん発作のタイプ　（A・B・C・D）
2　てんかん発作の頻度（年間　回、月平均　回、週平均　回　程度）

Ⅶ　知能障害等
1　知的障害　ア　軽度　イ　中等度　ウ　重度　エ　最重度
2　認知症　ア　軽度　イ　中等度　ウ　重度　エ　最重度
3　高次脳機能障害
ア　失行　イ　失認
ウ　記憶障害　エ　注意障害　オ　遂行機能障害　カ　社会的行動障害
4　学習障害　ア　読み　イ　書き　ウ　計算　エ　その他（　）
5　その他（　）

(Ⅷ)　発達障害関連症状
(1)　相互的な社会関係の質的障害　(2)　言語コミュニケーションの障害
(3)　限定した常同的で反復的な関心と行動　4　その他（　）

Ⅸ　人格変化
1　欠陥状態　2　無関心　3　無為
4　その他症状等（　）

Ⅹ　乱用、依存等（薬物等名：　）
1　乱用　2　依存

Ⅺ　その他〔　〕

イ　左記の状態について、その程度・症状・処方薬等を具体的に記載してください。

幼少期から対人不安が強く、大勢の人がいる場面は緊張感があり、入っていけない。言語コミュニケーションが苦手なため、そのような気持ちを表現することができず、何も言わずにストレスを溜め込み、身体症状として出現したり、通学・通所ができなくなることがあった。
就労移行支援事業所を経て、令和５年４月に特例子会社に就職したが、指導スタッフとの意思疎通が困難な場面が多く、現在も同事業所による職場定着支援を受けている。

本人の障害の程度及び状態に無関係な欄には記入する必要はありません。（無関係な欄は、斜線により抹消してください。）

（お願い）太文字の欄は、記入漏れがないように記入してください。

ウ　日常生活状況

1　家庭及び社会生活についての具体的な状況

（ア）現在の生活環境（該当するもの一つを○で囲んでください。）

入院　・　入所　・　(在宅)　・　その他（　　　　　　　）

（施設名　　　　　　　　　　　　）

同居者の有無　（(有)　・　無　）

（イ）全般的状況（家族及び家族以外の者との対人関係についても具体的に記入してください。）

［家族とのコミュニケーションは可能だが、それ以外の人とのコミュニケーションは取ろうとせず、支援者とも最低限度。意思疎通は困難。］

2　**日常生活能力の判定（該当するものにチェックしてください。）**

（判断にあたっては、単身で生活するとしたら可能かどうかで判断してください。）

（1）**適切な食事**―配膳などの準備も含めて適当量をバランスよく摂ることがほぼできるなど。

□できる　□自発的にできるが時には助言や指導を必要とする　☑自発的かつ適正に行うことはできないが助言や指導があればできる　□助言や指導をしてもできない若しくは行わない

（2）**身辺の清潔保持**―洗面、洗髪、入浴等の身体の衛生保持や着替え等ができる。また、自室の清掃や片付けができるなど。

□できる　□自発的にできるが時には助言や指導を必要とする　☑自発的かつ適正に行うことはできないが助言や指導があればできる　□助言や指導をしてもできない若しくは行わない

（3）**金銭管理と買い物**―金銭を独力で適切に管理し、やりくりがほぼできる。また、一人で買い物が可能であり、計画的な買い物がほぼできるなど。

□できる　□おおむねできるが時には助言や指導を必要とする　☑助言や指導があればできる　□助言や指導をしてもできない若しくは行わない

（4）**通院と服薬（要・不要）**―規則的に通院や服薬を行い、病状等を主治医に伝えることができるなど。

□できる　□おおむねできるが時には助言や指導を必要とする　☑助言や指導があればできる　□助言や指導をしてもできない若しくは行わない

（5）**他人との意思伝達及び対人関係**―他人の話を聞く、自分の意思を相手に伝える、集団的行動が行えるなど。

□できる　□おおむねできるが時には助言や指導を必要とする　☑助言や指導があればできる　□助言や指導をしてもできない若しくは行わない

（6）**身辺の安全保持及び危機対応**―事故等の危険から身を守る能力がある、通常と異なる事態となった時に他人に援助を求めるなどを含めて、適正に対応することができるなど。

3　**日常生活能力の程度（該当するもの一つを○で囲んでください。）**

※ 日常生活能力の程度を記載する際には、状態をもっとも適切に記載できる（精神障害）又は（知的障害）のどちらかを使用してください。

（精神障害）

（1）精神障害（病的体験・残遺症状・認知障害・性格変化等）を認めるが、社会生活は普通にできる。

（2）精神障害を認め、家庭内での日常生活は普通にできるが、社会生活には、援助が必要である。
（たとえば、日常的な家事をこなすことはできるが、状況や手順が変化したりすると困難を生じることがある。社会行動や自発的な行動が適切に出来ないこともある。金銭管理はおおむねできる場合など。）

(（3）) 精神障害を認め、家庭内での単純な日常生活はできるが、時に応じて援助が必要である。
（たとえば、習慣化した外出はできるが、家事をこなすために助言や指導を必要とする。社会的な対人交流は乏しく、自発的な行動に困難がある。金銭管理が困難な場合など。）

（4）精神障害を認め、日常生活における身のまわりのことも、多くの援助が必要である。
（たとえば、著しく適正を欠く行動が見受けられる。自発的な発言が少ない、あっても発言内容が不適切であったり不明瞭であったりする。金銭管理ができない場合など。）

（5）精神障害を認め、身のまわりのこともほとんどできないため、常時の援助が必要である。
（たとえば、家庭内生活においても、食事や身のまわりのことを自発的にすることができない。また、在宅の場合に通院等の外出には、付き添いが必要な場合など。）

（知的障害）

（1）知的障害を認めるが、社会生活は普通にできる。

（2）知的障害を認め、家庭内での日常生活は普通にできるが、社会生活には、援助が必要である。
（たとえば、簡単な漢字は読み書きができ、会話も意思の疎通が可能であるが、抽象的なことは難しい。身辺生活も一人でできる程度）

（3）知的障害を認め、家庭内での単純な日常生活はできるが、時に応じて援助が必要である。
（たとえば、ごく簡単な読み書きや計算はでき、助言などがあれば作業は可能である。具体的指示であれば理解ができ、身辺生活についてもおおむね一人でできる程度）

（4）知的障害を認め、日常生活における身のまわりのことも、多くの援助が必要である。

必要とする　　　きる　　　わない

（7）**社会性**－銀行での金銭の出し入れや公共施設等の利用が一人で可能。また、社会生活に必要な手続きが行えるなど。

□できる　□おおむねできるが時には助言や指導を必要とする　☑助言や指導があればできる　□助言や指導をしてもできない若しくは行わない

辺生活についても部分的にできる程度）

（5）知的障害を認め、身のまわりのこともほとんどできないため、常時の援助が必要である。
（たとえば、文字や数の理解力がほとんど無く、簡単な手伝いもできない。言葉による意思の疎通がほとんど不可能であり、身辺生活の処理も一人ではできない程度）

エ　現症時の就労状況
○勤務先　・（一般企業）　・就労支援施設　・その他（　　）
○雇用体系　・（障害者雇用）　・一般雇用　・自営　・その他（　　）
○勤続年数（　年 4 ヶ月）　○仕事の頻度（週に）・月に（ 5 ）日）
○ひと月の給与（ 13万 円程度）
○仕事の内容
簡単なPC入力、DM発送、備品管理等
○仕事場での援助の状況や意思疎通の状況
臨機応変な対応はできないため、毎日同じ順番で作業を行い、新たな業務は時間をかけて徐々に慣れさせるようにしている。
指導スタッフの常時管理、指導を行っているが、本人との意思疎通は十分でなく、定期的に定着支援員による連絡調整を必要としている。

オ　身体所見（神経学的な所見を含む。）
特になし

カ　臨床検査（心理テスト・認知検査、知能障害の場合は、知能指数、精神年齢を含む。）
WAIS-Ⅲ（2023.6.19）　全検査IQ:82　言語性IQ:80
動作性IQ:82　言語理解:82　知覚統合:90
作動記憶:92　処理速度:105

キ　福祉サービスの利用状況（障害者総合支援法に規定する自立訓練、共同生活援助、居宅介護、その他障害福祉サービス等）
就労定着支援利用中

⑪ **現症時の日常生活活動能力及び労働能力**（必ず記入してください。）	日常生活は家族の援助、見守りを必要とする場面が多い。労働能力も限られており、コミュニケーション障害も大きいため、障害者雇用でも十分な配慮が必要である。
⑫ **予　後**（必ず記入してください。）	不変と考える。
⑬ 備　考	

上記のとおり、診断します。　令和6 年 8 月 30 日

病院又は診療所の名称　○○クリニック　　診療担当科名　精神科

所　在　地　○○県○○市○○ 1-2-3　　医師氏名　○○ ○

■ 著者略歴

小西一航（こにし いっこう）

社会保険労務士・精神保健福祉士

さがみ社会保険労務士法人　代表社員

旅行会社勤務を経て，平成28年に障害年金専門の社会保険労務士事務所を開設。全国から寄せられる障害年金に関する相談に対応している。現在までの請求代理件数は精神障害，知的障害を中心に約3,000件。

また，「受け取るべき人が、あたりまえに受け取れる障害年金制度の実現を目指す」をモットーにWebや「親なきあと」セミナーでの情報発信にも注力している。

さがみ社会保険労務士法人　ホームページ https://www.sagami-nenkin.com

知的障害・発達障害のある子が
大人になる前に知っておきたい
**20歳前傷病の障害年金
しくみと請求のしかた**

令和6年7月20日　初版発行

検印省略

〒101-0032
東京都千代田区岩本町1丁目2番19号
https://www.horei.co.jp/

著者	小西一航
発行者	青木鉱太
編集者	岩倉春光
印刷所	日本ハイコム
製本所	国宝社

（営業）TEL 03－6858－6967　Eメール syuppan@horei.co.jp
（通販）TEL 03－6858－6966　Eメール book.order@horei.co.jp
（編集）FAX 03－6858－6957　Eメール tankoubon@horei.co.jp

（オンラインショップ）https://www.horei.co.jp/iec/
（お詫びと訂正）https://www.horei.co.jp/book/owabi.shtml
（書籍の追加情報）https://www.horei.co.jp/book/osirasebook.shtml

※万一、本書の内容に誤記等が判明した場合には、上記「お詫びと訂正」に最新情報を掲載しております。ホームページに掲載されていない内容につきましては、FAXまたはEメールで編集までお問合せください。

・乱丁、落丁本は直接弊社出版部へお送りくだされぱお取替えいたします。

ISBN 978-4-539-73053-9